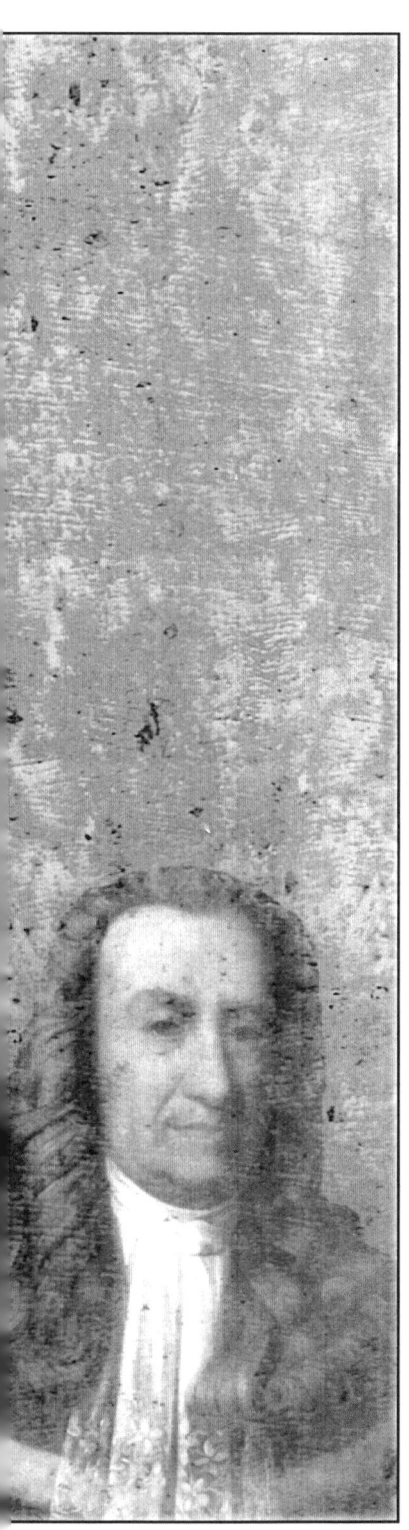

COLEÇÃO MESTRES DO
ESOTERISMO OCIDENTAL

EMANUEL
SWEDENBORG

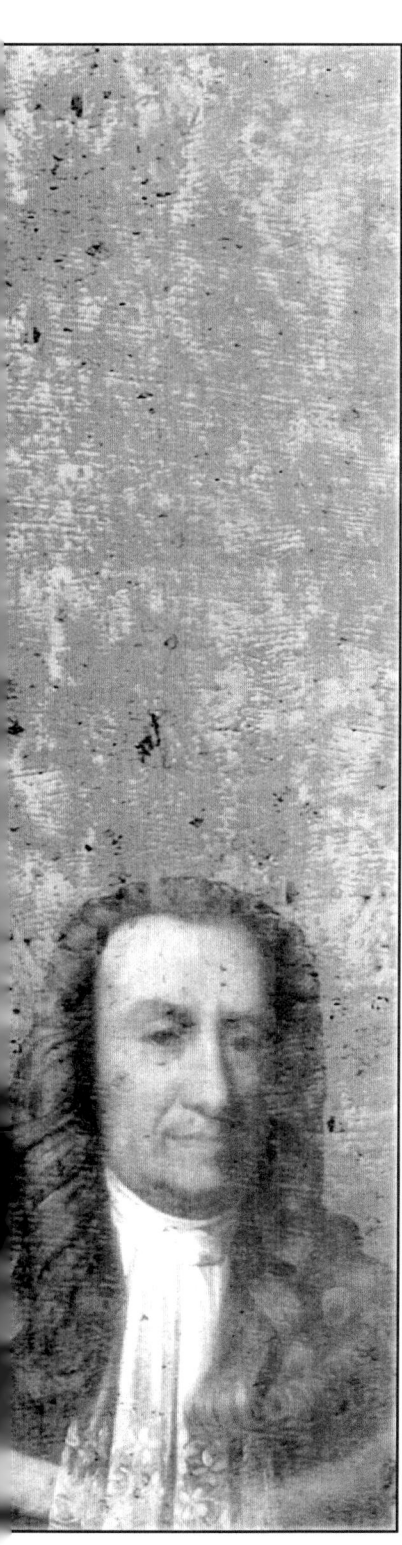

MICHAEL STANLEY

COLEÇÃO MESTRES DO ESOTERISMO OCIDENTAL

EMANUEL SWEDENBORG

Tradução:
José Arnaldo de Castro

MADRAS

Publicado originalmente em inglês sob o título *Emanuel Swedenborg*, por North Atlantic Books.
© 2003, Michael W. Stanley. Todos os direitos reservados.
Direitos de edição e tradução para todos os países de língua portuguesa.
Tradução autorizada do inglês.
© 2007, Madras Editora Ltda.

Editor:
Wagner Veneziani Costa

Produção e Capa:
Equipe Técnica Madras

Tradução:
José Arnaldo de Castro

Revisão:
Wilson Ryoji Smoto
Silvia Massimini
Maria Cristina Scomparini
Camila Fernanda Cipoloni

CIP-BRASIL. CATALOGAÇÃO-NA-FONTE
SINDICATO NACIONAL DOS EDITORES DE LIVROS, RJ

S978e
Swedenborg, Emanuel, 1688-1772
Emanuel Swedenborg / Michael Stanley; tradução José Arnaldo de Castro. - São Paulo: Madras, 2007
(Mestres do esoterismo Ocidental)
Apêndice
Inclui bibliografia
ISBN 978-85-370-0143-1

1. Swedenborg, Emanuel, 1688-1772. 2. Nova Igreja - Doutrina. 3. Teologia dogmática. 4. Vida espiritual. I. Stanley, Michael, 1936-. II. Título. III. Série.

06-3030.		CDD 230.94
		CDU 23:289.4
18.08.06	24.08.06	015839

Proibida a reprodução total ou parcial desta obra, de qualquer forma ou por qualquer meio eletrônico, mecânico, inclusive por meio de processos xerográficos, incluindo ainda o uso da internet, sem a permissão expressa da Madras Editora, na pessoa de seu editor (Lei nº 9.610, de 19.2.98).

Todos os direitos desta edição, em língua portuguesa, reservados pela

MADRAS EDITORA LTDA.
Rua Paulo Gonçalves, 88 — Santana
CEP: 02403-020 — São Paulo/ SP
Caixa Postal: 12299 — CEP: 02013-970 — SP
Tel.: (11) 6281-5555/6959-1127 — Fax: (11) 6959-3090
www.madras.com.br

COLEÇÃO MESTRES DO ESOTERISMO OCIDENTAL

A tradição esotérica ocidental possui suas raízes em uma forma religiosa de pensamento que remonta ao Gnosticismo, ao Hermetismo e ao Neoplatonismo do mundo helênico durante os primeiros séculos depois de Cristo. No Renascimento, a redescoberta de textos antigos levou ao renascimento culto da Magia, da Astrologia, da Alquimia e da Cabala. Após a Reforma, essa corrente espiritual logo deu origem à Teosofia, ao Rosacrucianismo e à Franco-Maçonaria, enquanto o renascimento do Ocultismo moderno estende-se a partir do Espiritualismo do século XIX, da Teosofia de H. P. Blavatsky e das ordens de Magia Cerimonial até Rudolf Steiner, C. G. Jung e G. I. Gurdjieff.

A *Coleção Mestres do Esoterismo Ocidental* apresenta biografias concisas de figuras-chave nessa tradição, bem como antologias de seus estudos. Ideais para estudantes, professores e leitores em geral, estes livros formam uma biblioteca de textos voltados à história do Esoterismo e ao renascimento do Ocultismo moderno. Hoje, já estão disponíveis volumes sobre Paracelso, John Dee, Jacob Boehme, Robert Fludd, Helena Blavatsky e Rudolf Steiner.

O DR. NICHOLAS GOODRICK-CLARKE é o editor-geral da *Coleção Mestres do Esoterismo Ocidental*. Ele é vice-presidente do Keston College, em Oxford, desde 1992, e também é parceiro de pesquisa em Esoterismo Ocidental na Universidade de Gales, em Lampeter. Publicou estudos sobre Paracelso, John Dee, Cornelius Agrippa e Emanuel Swedenborg. Seu trabalho pioneiro, *As Raízes Ocultas do Nazismo*, foi traduzido para nove idiomas.

ÍNDICE

Introdução à Edição Brasileira 11
Prólogo 25
Prefácio 27
Introdução 29
I– Estrutura do Pensamento Espiritual de Swedenborg 39
    Universalidade 39
    Liberdade Espiritual 40
    União com o Senhor e o Próximo 40
    Doutrina do Uso 41
    A Queda 41
    Encarnação e Redenção 41
    Regeneração 42
    Vida após a Morte 42
    Amor Conjugal 42
    Distribuição das Eras 43
    Nova Era 43
II– Natureza Divina 45
    Infinito e Eterno (sem Espaço e sem Tempo) 46
    O Divino, Ele Próprio, como Amor 48
    Amor e Sabedoria 48
    Uso 50
    Verdade 50
    Criatividade 51
    Humanidade Divina 51
    Espírito (Procedimento Divino) 52
    Trindade 53
III– Natureza do Homem 55
    Foco Tríplice do Amor no Homem 56
    Como Se 58
    O Mal e sua Origem 59
    Livre-Arbítrio (Liberdade e Racionalidade) 59

    Proprium (Ego) 60
    Falácia (Ilusão) 61
    Falsidade 63
    Culpa 64
    Medo 64
    Inferno 65
    Céu 65
IV– O Divino no Homem 67
    Fonte Íntima como um Sol 68
    Os dois Mundos 70
    Iluminação 70
V– A Natureza da Manifestação Divina 71
    Correspondência – Efeito Espelho na Natureza 71
    Graus Distintos 73
    O Homem como Microcosmos e o Humano
    Universal (Grande Homem) 74
    A Escritura Sagrada como a Palavra 75
    Manifestação Divina na Forma de uma Pessoa 78
    Encarnação Divina 79
VI– A Divina Providência 83
    Nada é por Acaso 84
    A Ordem Divina e as Leis da Providência 86
    Permissão do Mal 87
VII– Renascimento (Regeneração) 89
    Continuidade 90
    Estados Residuais 92
    Consciência 93
    Iluminação 95
    Arrependimento 96
    Perdão (Remissão dos Pecados) 97
    Combate à Tentação 98
    Redenção 103
    Fé 103
    Caridade 104
VIII Natureza Angélica 105
    Pensamento Abstrato e Fala 105
    Amor 106
    Eternidade 106
    Liberdade 107
    Proprium(Ego) 108
    Inocência 108
    Paz 109
    Sabedoria 110
    Alegria 111

Tristeza 112
Percepção 112
Atitude 113
Poder 113
Harmonia e Unanimidade 114
IX– Mundo Espiritual 115
Divisão Tríplice 116
Entrada Inicial 118
Julgamento 119
Aparências do Céu 122
Aparências do Inferno 123
Destino 125
Crianças no Céu 125
Grande Homem (Humano Universal) 126
X– Sexualidade e Relacionamento Conjugal 129
Características do Cérebro Direito e Esquerdo 130
Natureza Distintiva dos Sexos 130
Origem do Amor *Conjugial* 131
União de Macho e Fêmea 133
Amor *Conjugial* no Céu 134
Distorções do Amor *Conjugial* 136
Prazeres do Amor *Conjugial* 138
XI– Idades Espirituais do Homem 139
Infância (Igreja mais Antiga) 142
Meninice (Igreja Antiga) 144
Juvenil (Igreja Israelita) 146
Adulto (Igreja Cristã) 147
XII– Último Julgamento 149
XIII– Nova Era – Nova Igreja 153
Revelação da Verdade Interior 154
Por quem ela Será Formada 154
Universalidade 155
Apêndice – Graus Distintos no Homem 157
Abreviaturas 161
Cronologia dos Trabalhos de Swedenborg 163
Bibliografia Selecionada 167

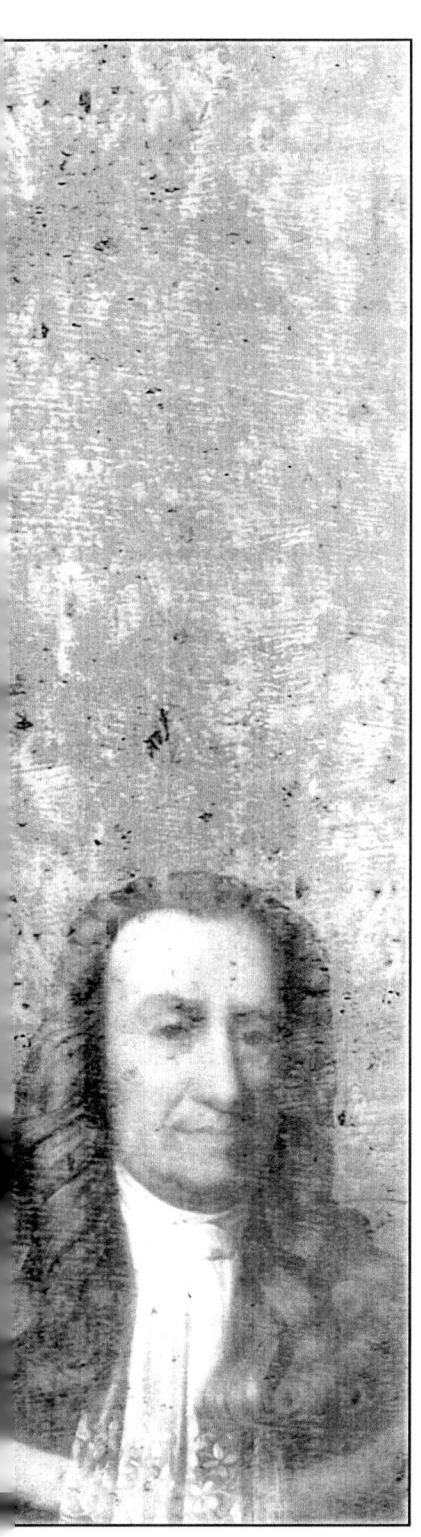

INTRODUÇÃO À EDIÇÃO BRASILEIRA

"O tempo dá tudo e tudo toma, tudo muda, mas nada morre... Com esta Filosofia meu espírito cresce, minha mente se expande. Por isso, apesar de quanto obscura a noite possa ser, eu espero o nascer do dia..." (Bruno)

Antes de adentrarmos nessa maravilhosa coleção dos Mestres do Esoterismo Ocidental, quero escrever um pouco sobre Esoterismo, Magia, Ocultismo, Misticismo, Hermetismo, Gnose e discorrer acerca da sua importância em nosso Universo.

Antigamente, quando um homem era sábio ele era chamado de *Magus*, Mago ou *Magi*, plural da palavra persa antiga *magus*, significando tanto imagem quanto "um homem sábio", que vêm do verbo cuja raiz é *meh*, que quer dizer Grande, e em sânscrito, *Maha* (daí Mahatma Gandhi, por exemplo).

Os *Magi* originais eram formados pela casta sacerdotal da Pérsia, além de químicos e astrólogos. Seus trajes consistiam de um manto escuro (preto, ou marrom, ou vermelho), e suas demonstrações públicas envolviam o uso de substâncias químicas para geração de fumaça, as quais causavam grande impressão entre o povo. Com isso, os observadores europeus trouxeram sua imagem para o folclore do Ocidente.

Mago usualmente denota aquele que pratica a Magia ou o Ocultismo; no entanto, pode indicar ainda alguém que possui conhecimentos e habilidades superiores, quando, por exemplo, se diz que um músico é um "mago dos teclados", pois ele toca o instrumento musical com muita destreza.

No sentido religioso e histórico, portanto, denotava uma linha sacerdotal ou casta hereditária na Pérsia, da qual Zoroastro (ou Zaratrusta) foi um membro conhecido. Essa casta formava uma sociedade de Magos que dividia os iniciados em três níveis de iluminação:

Khvateush – Os mais elevados, iluminados com a luz interior, iluminados;
Varezenem – Aqueles que praticam;
Airyamna – Amigos dos arianos.

Os antigos Magos *Parcis* podiam ser divididos em três níveis:

Herbods – noviços;
Mobeds – Mestres;
Destur Mobds – Homens perfeitos, idênticos aos Hierofantes dos mistérios praticados tanto na Grécia como no Egito (veja Hermetismo).

Esclarecemos que Hierofante é um termo utilizado para classificar os sacerdotes da alta hierarquia dos mistérios. Em língua portuguesa, o Grande Hierofante representa o Sacerdote Supremo ou Sumo Sacerdote. Um dos exemplos mais conhecidos de alguém que pode ser designado Grande Hierofante é o líder supremo (supremo para os que comungam do mesmo credo, é lógico) da Igreja Católica Apostólica Romana, o Papa, também chamado de Sumo Pontífice.

Podemos dizer que o Hierofante simboliza o mestre espiritual que habita em nosso interior, é o intermediário que faz a ligação entre a consciência terrena e o conhecimento intuitivo da lei Divina. Um dos principais objetivos desses líderes, ou instrutores, é o de ajudar os seres humanos na escalada dos graus na grande jornada da vida, permitindo-os evoluir para se libertarem de seus sofrimentos. Em cada grau que ascende existe um desafio, uma experiência, até que o indivíduo consiga separar o joio do trigo.

A teosofista Helena Blavatsky, em *Ísis Sem Véu*, refere-se ao Hierofante dizendo que era o título pertencente aos mais elevados adeptos nos templos da Antiguidade: mestres e expositores dos Mistérios e os iniciadores nos grandes Mistérios finais. O Hierofante era a representação do Demiurgo que explicava aos candidatos à Suprema Iniciação os vários fenômenos da Criação que se expunham para o seu ensinamento.

Discorrendo claramente a respeito do Demiurgo, o escritor Kenneth R. H. Mackenzie disse que "era o único expositor das doutrinas e arcanos esotéricos. Era proibido até pronunciar seu nome diante de uma pessoa não-iniciada. Residia no Oriente e levava como símbolo de sua autoridade um globo de ouro junto ao colo. Chamavam-no, também, Mistagogo".

De acordo com o francês Pierre Weil, presidente da Fundação Cidade da Paz e Reitor da Universidade Holística Internacional de Brasília (UNIPAZ), o Sumo Pontífice (Sumo *Pontifex*) é aquele que lança pontes, ou, tradicionalmente, aquele que deve unir as diferentes pessoas e coordenar esforços, lançar pontes em todas as direções. Hierofante também designa grandes sacerdotes de outras religiões. Em seu livro *A Enxada e a Lança*, Alberto da Costa e Silva traz esta definição: "Orumila, o Hierofante". Sabe-se que Orumila é o grande conhecedor do Orum (o Desconhecido), o outro lado, o infinito, o longínquo. Acredita-se que nesse lugar inalcançável pelos habitantes da Terra (para os iorubás, *Aiyê*) os Orixás conservam suas moradas.

Na Bíblia, os magos são vistos como homens sábios. O termo também se tornou familiar, por causa dos três reis magos, que, seguindo uma estrela, chegaram ao local onde se encontrava o menino Jesus.

Na atualidade, a Magia foi revivida em seu aspecto ritualístico, principalmente pela Ordem Hermética do Amanhecer Dourado* (*Hermetic Order of the Golden Dawn*), na Inglaterra, no final do século XIX.

Na Maçonaria, que dia a dia permite que homens investidos de uma pregação comunista e materialista desviem a Ordem de seu curso natural, esse aspecto ritualístico está sendo perdido aos poucos. A Maçonaria é uma Escola Iniciática, na qual o candidato galga os graus, submetendo-se a ultrapassar os obstáculos, enfrentando-os até alcançar a Luz. Somos construtores sociais, sim (maçons = pedreiros), mas temos que em primeiro lugar elevar a consciência, incentivando a busca do conhecimento próprio. Esse conhecimento é profundo... Precisamos primeiramente construir nosso próprio edifício e, somente depois de acabado, ajudar o próximo a construir o seu, e assim sucessivamente...

O maçom tem que se esforçar para poder libertar todas as amarras do instinto. É aquele que guia as rédeas ao conduzir a parte animal que ainda, por missão, sente-se obrigado a possuir no mundo. No entanto, sabe que tudo na Terra tem seu período de transição, todas as coisas ocupam tempo fixo, por lei, e são determinadas pela necessidade evolutiva. Ele sabe, mediante sua mente divina, que a atuação do Ser Supremo se faz através do Espaço. Quando volta seus "olhos de ver" para a Imensidão, é capaz de ler essas lições no livro da Sabedoria Eterna, onde tudo fica gravado para sempre, como se fosse um eterno presente.

Portanto, o maçom precisa, sim, desenvolver seu sexto sentido. A intuição é seu modo de ver, ouvir e falar. No mais alto grau da Maçonaria, já se torna senhor dos três mundos: físico, anímico e espiritual. Somente nesse ponto pode e deve ser considerado Mestre Maçom.**

---

*N.E.: Sugerimos a leitura da obra de Israel Regardie, *A Aurora Dourada*, que será editada pela Madras Editora, com comentários de Carlos Raposo e Wagner Veneziani Costa.
**N.E.: Para conhecer melhor esse assunto, sugerimos a leitura do livro *Maçonaria, Escola de Mistérios – A Antiga Tradições e Seus Símbolos*, de Wagner Veneziani Costa, Madras Editora.

O CAMINHO DA INICIAÇÃO

Assim como uma flor não desabrocha fora do tempo, do mesmo modo a alma terá seu momento de encontro com a Luz. Nenhum esforço, além da senda apontada pela Consciência, poderá marcar mais perfeitamente o início dos primeiros passos no Caminho. A ansiedade é má conselheira e oferece tanta resistência à evolução do discípulo quanto à displicência. De tal modo Deus fez a alma do Homem, que ela sabe que, apesar de todas as voltas e curvas do caminho humano, é seu destino retornar mais iluminada ao Reino do Pai.

Se levarmos em conta o rigorismo do vocábulo esoterismo, na acepção de oculto, somente os Iniciados poderiam chamar-se esoteristas.

Iniciados são, portanto, todos os seres que, tendo atingido os páramos supremos dos últimos graus da iluminação, ainda como seres humanos, adquirem os meios de coordenar as forças ocultas do ser. Já sabemos que a iluminação é o ponto solar que conduz o Homem aos Mistérios. Como poderia palmilhar o Caminho aquele que, primeiramente, não se iluminasse? De sua Luz brota a claridade para seu próprio Caminho.

Dentre os filósofos que se manifestaram a respeito da Iniciação, Próclus nos diz que ela serve para "retirar a alma da vida material e lançá-la na luz". E Salústio afirma que "o fim da Iniciação é levar o Homem a Deus".

Antonio de Macedo nos dá uma boa luz sobre o significado de Esoterismo: "O adjetivo *eksôterikos, -ê, -on* (exterior, destinado aos leigos, popular, exotérico) já existia em grego clássico, ao passo que o adjetivo *esôterikos, -ê, -on* (no interior, na intimidade, esotérico) surgiu na época helenística, nos domínios do Império Romano. Diversos autores os utilizaram. Veremos adiante alguns exemplos.

Esotérico e exotérico têm origem, respectivamente, em *eisô* ou *esô* (como preposição significa "dentro de", como advérbio, "dentro"), e *eksô* (como preposição significa "fora de", como advérbio, "fora"). Dessas partículas gramaticais (preposição, advérbio) os gregos derivaram comparativos e superlativos, tal como no caso dos adjetivos. Via de regra, o sufixo grego para o comparativo é *teros*, e para o superlativo é *tatos*. Por exemplo: o adjetivo *kouphos*, "leve", tem como comparativo *kouphoteros*, "mais leve", e como superlativo *kouphotatos*, "levíssimo". Do mesmo modo, do advérbio/preposição *esô* obtém-se o comparativo *esôteros*, "mais interior", e o superlativo *esôtatos*, "muito interior, interno, íntimo". O adjetivo *esôterikos* deriva, portanto, do comparativo *esôteros*.

Certos autores, porém, talvez com uma visão mais imaginativa, propõem outra etimologia, baseada no verbo *têrô*, que significa "observar, espiar; guardar, conservar". Assim, *esô + têrô* significaria qualquer coisa como "espiar por dentro e guardar no interior".

Sabemos que as práticas ocultas concentram-se na habilidade de manipular leis naturais, como na Magia. Antigamente, Mistérios eram cultos sempre secretos nos quais uma pessoa precisava ser "iniciada". Os líderes dos cultos incluíam os Hierofantes ("revelador de coisas sagradas"). Uma sociedade de Mistério mantinha tradições como: refeições, danças e cerimônias em comum, especialmente ritos de iniciação. Faziam isso por acreditar que essas experiências compartilhadas fortaleciam os laços de cada culto.

Esoterismo é o nome genérico que designa um conjunto de tradições e interpretações filosóficas das doutrinas e religiões que buscam desvendar seu sentido oculto. É o termo utilizado para simbolizar as doutrinas cujos princípios e conhecimentos não podem ou não devem ser "vulgarizados", sendo comunicados apenas a um pequeno número de discípulos escolhidos.

A idéia central do Esoterismo é pesquisar o conhecimento perdido e utilizar todas as técnicas possíveis para que cada homem consiga transmutar o velho em novo, as trevas em luz, o mal em bem. Enfim, para que o esotérico consiga fazer a alquimia da sua própria alma e ascender ao encontro com o Criador. O Esoterismo estuda e faz uso prático das energias da natureza. Os métodos de sintonia com essas energias são inúmeros.

Segundo Blavatsky, o termo "esotérico" refere-se ao que está "dentro", em oposição ao que está "fora" e que é designado como "exotérico". Mostra o significado verdadeiro da doutrina, sua essência, em oposição ao exotérico, que é a "vestimenta" da doutrina, sua "decoração". Um sentido popular do termo é de afirmação ou conhecimento enigmático e impenetrável. Hoje em dia, o termo está mais relacionado ao misticismo, ou seja, à busca de supostas verdades e leis que regem o Universo, porém ligando ao mesmo tempo o natural com o sobrenatural.

AO ENCONTRO DO MISTICISMO

Misticismo é uma filosofia que existe em muitas culturas diferentes e que se apresenta de várias maneiras. Místico é todo aquele que concebe a não-separatividade entre o Universo e os seres (reino transcendente). A Essência primordial da vida, a Consciência Cósmica, ou Deus, como costumamos chamar – ao contrário do que se pensa – não está e nunca esteve separado de qualquer coisa. O místico é aquele que busca um contato com a realidade, que utiliza as forças naturais como intermediário.

O místico busca a presença de um Ser Supremo, ou do inefável e incognoscível, em si mesmo. Ele acredita que dessa forma pode perceber todas as coisas como parte de uma infinita e essencial Unidade de tudo o que existe. Os místicos não reconhecem diferenças entre a natureza do Universo e a natureza dos seres.

Misticismo é, portanto, a busca de conhecimento espiritual direto mediante processos psíquicos que transcendem as funções intelectuais. Sob essa ótica, o Misticismo é tido como um caminho pessoal de evolução, realização e felicidade.

HERMETISMO

Aquilo que na atualidade é chamado de Hermetismo, ou de Ciências Herméticas, compreende um campo de conhecimento muito amplo. Diariamente, observamos as ordens e as sociedades herméticas; ouvimos falar de conhecimentos herméticos. Em um primeiro momento, o leigo acredita que a palavra "hermética", presente em inúmeras organizações, significa, oculto, mistério, velado. Mas esse não é o sentido real. Aquilo que é ensinado como Hermetismo tem raízes tão antigas que é impossível precisar o seu surgimento. Acreditamos que pode ser considerado como sua origem, o registro de todos os conhecimentos que a humanidade foi acumulando, ciclo após ciclo de civilização, mesmo muito antes da Atlântida.

A Prof. Dra. Eliane Moura Silva, do Departamento de História da UNICAMP ressalta: "Em 1460, Cósimo de Médicis manda Marsílio Ficino interromper a tradução dos manuscritos de Platão e Plotino para iniciar com urgência, a tradução do *Corpus Hermeticum*, coletânea de textos formados pelo *Asclépios* (onde se descreve a antiga religião egípcia e os ritos e processos através dos quais estes atraíam as forças do Cosmos para as estátuas de seus deuses) e outros quinze diálogos herméticos tratando de temas como a ascensão da alma pelas esferas espirituais até o reino divino e a regeneração durante a qual a alma rompe os grilhões da matéria e torna-se plena de poderes e virtudes divinas, incluindo o *Pimandro*, que é um relato da Criação do mundo".

Essa tradução e as obras de Platão e Plotino tiveram um papel fundamental na história cultural e religiosa do Renascimento, sendo responsáveis pelo triunfo do Neoplatonismo e de um interesse apaixonado pelo Hermetismo em quase toda a Europa. A apoteose do homem, característica do Humanismo, passou a ter, em diferentes pensadores do período, uma profunda inspiração na tradição hermética redescoberta, assim como no Neoplatonismo para cristão.

De acordo com estudiosos, todos os movimentos de vanguarda da Renascença tiraram seu vigor e impulso a partir de um determinado olhar que lançaram sobre o passado. Ainda vigorava uma noção de tempo cíclica em que o passado era sempre melhor que o presente, pois lá estava a Idade do Ouro, da Pureza e da Bondade. Essa tendência aponta uma profunda insatisfação com a escolástica e uma aspiração em encontrar as bases para uma religião universalista, trans-histórica e primordial. O Humanismo Clássico recuperava a Antiguidade Clássica procurando o ouro puro de uma civilização melhor e mais elevada. Os reformadores religiosos procuravam a pureza evangélica nos estudos das Escrituras e nos textos dos precursores da Igreja.

A crença em uma *prisca theologia* e nos velhos teólogos – Moisés, Zoroastro, Orfeu, Pitágoras, Platão e Hermes Trismegistos – conheceu uma voga excepcional, assim como a leitura do Antigo Testamento, dos

Evangelhos e a própria Tradição Clássica. Pensava-se em uma aliança possível entre essas antigas e puras teologias, entre as quais se destacava o Hermetismo (afinal, sendo Hermes o mais antigo dos sábios e diretamente inspirado por Deus, pois suas profecias se cumpriram com o nascimento de Jesus), para se chegar a um universalismo espiritual capaz de restaurar a paz e o entendimento pela compreensão da "divindade" nos seres humanos.

Sob essa ótica, no decorrer dos anos assistimos a uma intensa recuperação de diversas formas de Gnose, da Alquimia e do Esoterismo cristão em seus temas fundamentais: enobrecimento e transmutação dos metais, regeneração do homem e da natureza, a quem serão devolvidas a dignidade e a pureza perdidas com a queda, a vitória sobre as doenças, a imortalidade e felicidade no seio de Deus, as relações simpáticas entre os seres e as coisas, o acesso a textos ocultos e revelados a poucos iniciados, Astrologia, Magia *naturallis*, entre outras fontes do saber.

Estamos falando das bases sobre as quais certos pensadores que marcaram época construíram suas obras, dentre eles Johanes Augustinus Pantheus, sacerdote veneziano; autor de *Ars transmutationes metallicae*; ou ainda, do provençal Michel de Nostredame (ou Nostradamus), médico e alquimista, protegido de Catarina de Médicis e autor das proféticas *Centúrias*; de Jerônimo Cardano, médico e matemático perseguido pela Inquisição e protegido pelo Papa; Juan Tritemio, sacerdote do convento de Spanheim, mas também um profeta, necromante e mago da corte do imperador Maximiliano. Por fim, chegamos a Paracelso (*Teofrasto Bombast von Hohenheim*), discípulo de Tritêmio e buscador da realização sobrenatural. Temos também Henrique Cornélio Agrippa de Netesheim, que em 1510 publicou *De Occulta Philosophia*.* Ele era um exímio estudioso de Cabala, Magia *naturallis*, Alquimia, Angelologia, dos segredos ocultos da natureza e da vida. Lembramos, ainda, dos esoteristas cristãos Marsílio Ficino e Pico de la Mirandola (a renovação do cabalismo no Renascimento).

Agrippa declarava que para ocupar-se da Magia, era necessário conhecer perfeitamente Física, Matemática e Teologia. Para ele, a Magia é uma faculdade poderosa, plena de mistério e que encerra um conhecimento profundo das coisas mais secretas da natureza, substâncias e efeitos, além de suas relações e antagonismos.

Giovanni Pico de la Mirandola justifica a importância da busca humana pelo conhecimento em uma perspectiva neoplatônica. Ele afirma que Deus, tendo criado todas as criaturas, foi tomado pelo desejo de gerar uma outra criatura, um ser consciente que pudesse apreciar a criação. Porém, não havia nenhum lugar disponível na cadeia dos seres, desde os vermes até os

---

*N.E.: Em breve essa obra de Agrippa será lançada em língua portuguesa pela Madras Editora.

Anjos. Então Deus criou o homem, que, ao contrário dos outros seres, não tinha um lugar específico nessa cadeia. Em vez disso, o homem era capaz de aprender sobre si mesmo e sobre a natureza, além de poder emular qualquer outra criatura existente. Desta forma, segundo De la Mirandola, quando o homem filosofa, ele ascende a uma condição angélica e comunga com a Divindade. Entretanto, quando ele falha em utilizar o seu intelecto, pode descer à categoria dos vegetais mais primitivos. Desse modo, De la Mirandola afirma que os filósofos estão entre as criaturas mais dignificadas da criação.

A idéia de que o homem pode ascender na cadeia dos seres pelo exercício de suas capacidades intelectuais foi uma profunda garantia de dignidade da existência humana na vida terrestre. A raiz da dignidade reside na sua afirmação de que somente os seres humanos podem mudar a si mesmos pelo seu livre-arbítrio. Ele observou na história humana que filosofias e instituições estão sempre evoluindo, fazendo da capacidade de autotransformação do homem a única constante.

Em conjunto com sua crença de que toda a criação constitui um reflexo simbólico da Divindade, a filosofia de De la Mirandola teve uma profunda influência nas artes, ajudando a elevar o *status* de escritores, poetas, pintores e escultores, como Leonardo da Vinci e Michelangelo, de um papel de meros artesãos medievais a um ideal renascentista de artistas considerados gênios que persiste até os dias atuais.

Para esses pensadores, era possível elaborar uma harmonia entre Gnose, Hermetismo, Cabala, Magia natural e Cristianismo. Magia *naturallis* era compreendida como a aproximação da Natureza com a religião, ou seja, estudar a natureza (inclusive oculta) das coisas era visto como um caminho para compreender e chegar a Deus".

GNOSTICISMO OU CONHECIMENTO

De acordo com os apontamentos de Claudio Willer, os gnósticos existiram como seitas, em diversos grupos, nos séculos I a V da Era Cristã, especialmente no Egito, convivendo e interagindo com o Neoplatonismo e o Hermetismo. Escritores conceituados, sempre empenhados na recriação mítica de suas origens, deixaram uma série de evangelhos apócrifos (a exemplo dos cabalistas que, mais tarde, também fizeram seus acréscimos à Bíblia, reescrevendo ou introduzindo trechos atribuídos aos profetas). Esses autores foram desaparecendo diante da organização, não só teológica como política, do Cristianismo. Perseguidos e combatidos como hereges, ressurgem na Idade Média como bogomilos, variante do Maniqueísmo, nos atuais territórios da Bulgária, Hungria e Romênia. E, já nos séculos XII e XIII, aparecem como cátaros, os albigenses da Provença, militarmente exterminados. Sua documentação também foi destruída, restaram apenas as peças acusatórias do Cristianismo que, para se afirmar como poder temporal, os varreu da face da Terra.

Com isso, encerra-se a Gnose como forma de organização social, mas não como modo de pensar. A inversão da história do Jardim do Éden, com a serpente portadora não da perdição, mas da sabedoria, além de se manter em práticas de Magia e Bruxaria desde a baixa Idade Média e da Renascença, reaparece na criação de novos escritores, especialmente na transição do século XVIII para o XIX. Alexandrian, em sua *História da Filosofia Oculta* (Seghers, 1983, ou Edições 70, Portugal, s/d), atribui-lhes grande alcance: "o espírito da Gnose subsistiu até nossos dias; além disso, todos os grandes filósofos ocultos foram, de uma forma ou de outra, continuadores dos gnósticos, sem que necessariamente utilizassem o mesmo vocabulário e os temas". Seu comentário coincide com aquele feito em 1949 por André Breton (no ensaio *Flagrant délit*, em *La clé des champs*, Le Livre de Poche, 1979), ao registrar com lucidez a importância da então recente descoberta das Escrituras Gnósticas de Qumran. "Sabe-se, com efeito, que os gnósticos estão na origem da tradição esotérica que consta como tendo sido transmitida até nós, não sem se reduzir e degradar parcialmente no correr dos séculos, apontando ainda que poetas tão influentes como Hugo, Nerval, Baudelaire, Rimbaud, Lautréamont, Mallarmé e Jarry haviam sido mais ou menos marcados por essa tradição."

Esses escritores são de uma família representada também por William Blake* (1757-1827). Pouco antes de Blake, Emannuel Swedenborg (1688-1772) havia formulado cosmologias complexas de grande influência, a ponto de se criarem seitas swedenborguianas, grupos que persistem até nossos dias. Swedenborg, que também deixou obra científica, representa uma dualidade típica do século XVIII, a coexistência do culto à razão e ao desenvolvimento científico, e seu aparente inverso, o crescimento, a sombra do Iluminismo, de seitas e grupos iniciáticos de orientação hermética. Entre outros, destacam-se a Maçonaria, na versão de Cagliostro; os Martinistas e os "Iluminados". Ambos, racionalismo e ocultismo, aparente claridade e suposto obscurantismo, modernização e tradicionalismo, são pólos da mesma complexa configuração. Para cada Voltaire havia um Cagliostro; para cada Rousseau, um Marquês de Sade. Todos possíveis graças à liberdade de pensamento e expressão possibilitada pelo enfraquecimento dos regimes absolutistas e do poder temporal da Igreja.

Não por acaso, o pai de William Blake foi adepto de Swedenborg. E o poeta, também notável artista plástico, formou-se por meio de leituras não somente do próprio Swedenborg, mas de seus antecessores renascentistas

---

*N.E.: Sugerimos a leitura de *Matrimônio do Céu e do Inferno*, de William Blake, Madras Editora. Ver também *Cagliostro – O Grande Mestre do Oculto*, do Dr. Marc Haven, Madras Editora.

como Paracelso e Jacob Boehme – formuladores da teoria das "assinaturas" de que o microcosmo reproduziria traços do macrocosmo, e cada coisa particular manifestaria correspondências com o Todo, as qualidades e características da ordem universal – e dos movimentos ocultistas de seus contemporâneos, iluminados e martinistas inclusive. Não era de se estranhar que, sendo um visionário, Blake acreditasse que, desde a adolescência, conversava com profetas bíblicos e que poemas seus fossem ditados por anjos.

Sem dúvida, Blake foi um panteísta e um politeísta, pelo modo como apresentou em seus poemas uma pluralidade de entidades, uma teogonia particular, e como cultuou a natureza, visualizando-a animada pela energia divina (minha principal fonte, *The Poetical Works of William Blake*, editada por John Sampson, Oxford University Press, 1960). Formulou antevisões, em seus *Poemas Proféticos*, em *América*, *A Revolução Francesa* e em *Matrimônio do Céu e do Inferno*, em cujas metáforas, deslindando-as, é possível reconhecer antecipações do que estava por vir (no mínimo, na *Canção de Liberdade*, em *Matrimônio do Céu e do Inferno*), ou seja, a expansão e a subseqüente queda do Império Britânico. Até que ponto sua poesia encerra idéias gnósticas, isso é e continuará sendo uma incógnita.

Contudo, declarações como esta: "O caminho do excesso leva ao palácio da sabedoria" (a mais famosa de *Matrimônio do Céu e do Inferno*) permitem associação a um Gnosticismo dissoluto. Igualmente, as estetizações de Satã, retratado como fonte da sabedoria (em *Matrimônio do Céu e do Inferno*, em outros lugares de sua obra e na esplêndida gravura na qual seu Lúcifer triunfante é uma herética citação do redentor apocalíptico de Michelangelo), e os personagens, deuses criadores do mundo, porém decaídos ou malignos, como Los, Urizen e Nobodaddy, são representações do Pai opressor.

Friedrich Hölderlin (1770-1843) jamais ascendeu ao *status* de profeta, e o componente visionário de sua obra – mais evidente quando passou o restante de seus dias na pequena cidade de Nürtingen, abrigado na casa do carpinteiro Zimmer em sua fase de loucura – não pode ser tomado como expressão da adesão a seitas e doutrinas. Escrevia como se fosse um grego e estivesse na Grécia antiga, e, impregnado de mitos, lamentava a queda dos deuses em poemas lacunares, extremamente modernos, com belas imagens; *assim naufraga o ano no silêncio...*

Com o passar do tempo, Hölderlin e Blake, quase contemporâneos, cresceram em prestígio e estatura literária. Outro poeta, já de um romantismo tardio, de uma geração seguinte, também se destacou: Gérard de Nerval (1808-1855), influenciado pela Cabala, pelo Hermetismo e por idéias gnósticas, as quais havia aderido de modo consciente, conforme deixou claro em *Les Illuminés*. Em *Aurélia*, obra que escreveu antes de desencarnar em virtude de um acesso de melancolia e que é uma narrativa regida por mecanismos do sonho e do delírio, bem como em *Sílvia*, exemplarmente analisada por Umberto Eco em *Seis Passeios pelos Bosques da Ficção*, confundem-se dois modos do pensamento mágico: um deles, aplicação ou expressão da formação ocultista; o outro, resultado de seu distúrbio psíquico.

O Luciferianismo é um antigo culto de mistérios que tem origem nos cultos de adoração às serpentes ou dragões, sendo parte dessa crença originada dos mistérios clássicos. O luciferianista presta culto ao Deus romano, Lúcifer, o Andrógino, o Portador da Luz, o espírito do Ar, a personificação do esclarecimento, por meio de seus deuses machos e fêmeas. Dentro do contexto geral pagão, Lúcifer era o nome dado à estrela matutina (a estrela conhecida por outro nome romano, Vênus). A estrela matutina aparece nos céus logo antes do amanhecer, anunciando o Sol ascendente. O nome deriva do termo latino *lucem ferre*, o que traz, ou o que porta a luz. Lúcifer vem do latim, *lux* + *ferre* e é denominado, muitas vezes, como a Estrela da Manhã. Dentre todos os deuses, Lúcifer foi aquele que manteve a relação mais notável com a Humanidade. Encontrar a faceta da divindade Lúcifer dentro de nós é fator importante no caminho da Verdade para um luciferianista. Ela nos trará a consciência, o conhecimento e, sobretudo, o livre-arbítrio. Lúcifer, para nós, é o caminho para o encontro com o verdadeiro Eu-divindade, a nossa vontade real.

Lúcifer (em hebraico, *heilel ben-shachar*, הֵילֵל בֶּן שַׁחַר; em grego na Septuaginta, *heosphoros*) representa, como já dissemos, a Estrela da Manhã (a estrela matutina), a estrela D'Alva, o planeta Vênus, mas também foi o nome dado ao anjo caído, da ordem dos Querubins (ligados à adoração de Deus). Na atualidade, em uma nova interpretação da palavra, chamam-no de Diabo (caluniador, acusador) ou Satã (cuja origem é o hebraico *Shai'tan*, adversário).

Hoje, Nerval é visto como possuidor de uma estatura próxima à do autor referencial, inaugurador da modernidade, Charles Baudelaire (1821-1867), o poeta dos mistérios, dos abismos e da sua cidade, da metrópole moderna e movimentada em que Paris ia se convertendo. Ambos, Nerval e Baudelaire, eram excêntricos no plano da conduta pessoal; sua excentricidade passando a símbolo de uma provocação romântica e pós-romântica.

Karl Bunn nos diz que: "No Ocidente, algumas das formas mais conhecidas de Gnose são o Hermetismo, a Gnose Cristã, a Alquimia, os ensinamentos dos Templários e a Maçonaria.

O Hermetismo ou os Mistérios de Hermes foi estabelecido em antiqüíssimos tempos por Hermes Trismegistos, no Egito dos grandes magos e sacerdotes. Afortunadamente, essa ciência conseguiu manter-se pura e intacta até nossos dias nas lâminas do Tarô Egípcio. Já a Gnose dos primeiros cristãos, somente nos últimos 20 anos do século passado ressurgiu nos principais centros culturais do mundo, tanto em forma integral quanto em forma de livros compilados a partir das chamadas obras apócrifas do Cristianismo antigo – que nada têm de apócrifos, considerando-se que a lista canônica foi elaborada para servir aos interesses dos primeiros padres da Igreja Romana. Na realidade, apócrifa e canônica são obras escritas na mesma época e da mesma maneira. Existe sim uma diferença de fundamental importância: os textos denominados apócrifos não sofreram mutilações nem adaptações ao longo dos séculos e são, portanto, mais puros, originais e completos que os canônicos.

Segundo estudiosos do assunto, existem muitas discussões e polêmicas em torno das obras apócrifas. Isso é compreensível, levando-se em conta que as fantasias teológicas, criadas nos últimos dois mil anos, estão muito vivas na cabeça das pessoas, principalmente dos fiéis católicos e das seitas cristãs. Em contrapartida, é crescente o número de pessoas esclarecidas que atestam a veracidade e a fidelidade dos textos considerados apócrifos, tornando acessível ao público toda a sabedoria gnóstica da Antiguidade.

A Gnose chama a atenção não só por seus aspectos históricos e antropológicos, que ajudam a explicar os pontos cruciais da atribulada trajetória da humanidade, mas também por seu caráter psicológico profundo, de extrema atualidade, como conhecimento divino, ou fogo liberador que surge das mais íntimas profundezas do indivíduo.

Hoje em dia muitos sábios, filósofos, psicólogos, humanistas, etc., encontraram na Gnose as orientações precisas que possibilitam o esclarecimento dos grandes enigmas do Universo e do Homem. Basta recordar a famosa frase: *"Nosce te Ipsum"* (Conhecida tradicionalmente como "Homem, conhece-te a ti mesmo e conhecerás o Universo e os deuses").

Vemos, então, que a Gnose sempre foi um conhecimento misterioso, que parece surgir espontaneamente nas mais diversas épocas e lugares. O estudioso francês Serge Hutin diz o seguinte: "Se o Gnosticismo não fosse mais que uma série de aberrações doutrinárias, próprias de hereges cristãos dos três primeiros séculos, seu interesse seria puramente arqueológico. Mas é muito mais que isso, a atitude gnóstica aparecerá espontaneamente, além de qualquer transmissão direta. O Gnosticismo é uma ideologia mística que tende a reaparecer incessantemente na Europa e em outros lugares do mundo em épocas de grandes crises ideológicas e sociais".

E também afirma: "Ainda que muitos gnósticos falem uma linguagem desconcertante para o homem contemporâneo, sua atitude no fundo é muito moderna: apresentam-se como homens preocupados com o futuro do mundo, procurando uma solução para os problemas que o envolvem".

Em meados do século passado, foram encontrados pergaminhos, manuscritos e outros textos que, ao serem traduzidos, mostram a profundidade das doutrinas gnósticas praticadas antes de Jesus Cristo e também depois de sua vinda, fundindo-se com as primeiras comunidades cristãs. Pode-se dizer que o Cristianismo nascente encontrou seu primeiro ponto de apoio nos filósofos gnósticos daquela época.

O Gnosticismo, ou grupos de doutrinas relativas à Gnose, constitui-se no que é a tradição esotérica das diversas religiões, em especial do Cristianismo. Podemos dizer que a Gnose é aquele elo secreto que une a sabedoria do Oriente à do Ocidente.

No Budismo, vamos encontrar a Gnose principalmente nas formas que se caracterizam pela transmissão direta, como o *Zen*; nas formas esotéricas tibetanas, o *Prajna-Paramita*, entre outros.

A palavra *zen* é a forma japonesa do *ch'an* chinês, que por sua vez vem do *dhyana* sânscrito, do qual se deriva *gnana* (sabedoria), que finalmente chega ao grego, e daí Gnose em língua portuguesa.

No Islã também vamos encontrar a Gnose na parte esotérica, no Sufismo.

No *Pistis-Sophia*, livro que pode ser considerado a Bíblia Gnóstica, vimos que Jesus revelou a Gnose oralmente a seus discípulos, depois da Ressurreição.

Após os primeiros séculos do Cristianismo, a pura Gnose Cristã precisou se envolver no véu do Hermetismo, pois sua existência manifesta já não era mais conveniente à religião de Estado que então se formou.

Pistis Sophia - o livro - foi publicado pela primeira vez em 1851, na França. Depois, houve uma versão para o inglês, feita por G.R.S. Mead. Mas, qualquer que seja a edição de *Pistis Sophia*, moderna ou antiga, trata-se de uma obra incompreensível para os não-iniciados. Mesmo a edição comentada do Mestre Samael Aun Weor, que desvela os dois primeiros dos seis volumes de *Pistis Sophia*, é bastante complexa, não somente pelo vocabulário mas pelas próprias verdades da Alta Iniciação ali contidas.

Infelizmente, por preconceito ou ignorância, os maiores tesouros do Gnosticismo antigo continuam incompreendidos. Mestres e estudiosos, como Samael Aun Weor, H. P. Blavatsky e Carl Gustav Jung, foram alguns poucos que se atreveram a enveredar pelos caminhos do Gnosticismo histórico e de lá retornar com compreensão e entendimento suficientes para explicar algo de seus augustos e reservados mistérios. Mas, agora em edição especial, a Madras Editora traz para a língua portuguesa a maior coletânea de textos apócrifos em duas obras: *O Mistério do Pergaminho de Cobre de Qumran – O Registro dos Essênios do Tesouro de Akhenaton*, de Robert Feather, com 448 páginas, e *A Biblioteca de Nag Hammadi – A Tradução Completa das Escrituras Gnósticas*, coordenação de James M. Robinson, com 464 páginas.

No entender de um antigo Patriarca Gnóstico, Clemente de Alexandria, "Gnose é um aperfeiçoamento do homem enquanto homem". A Gnose, transmitida oralmente depois dos apóstolos, chegou a um pequeno número de pessoas.

As doutrinas gnósticas, sendo doutrinas de regeneração, ocupam-se especialmente do trabalho com a energia criadora, a transmutação ou Alquimia sexual, ou ainda Tantrismo,* como é conhecida no Oriente a ciência gnóstica da supra-sexualidade.

---

*N.E.: Sugerimos a leitura de *Pompoarismo e Tantrismo*, de Pier Campadello e Wagner Veneziani Costa, Madras Editora.

É interessante saber que a misteriosa ciência dos alquimistas teve origem na Gnose de Alexandria. De Alexandria, ela passou a Bizâncio e aos venezianos. Mas foram os árabes que levaram a Alquimia à cristandade européia, por meio da Espanha.

Na Alquimia tântrica, o amor desempenha um papel essencial. Por isso, as ilustrações feitas pelos alquimistas mostram sempre um casal em atitude amorosa.

Uma das principais características do Tantrismo é que ele se apóia totalmente em um progressivo e total domínio da sexualidade – o que também é exigido de todo alquimista. O Tantrismo e a Alquimia buscam os mesmos objetivos: a reconquista progressiva dos poderes perdidos pelo homem quando da queda (sexual) no Éden, do domínio total das energias ocultas do Cosmos e também das energias que se encontram no próprio homem.

Fontes de Consulta:
http://pt.wikipedia.org
Jornal Infinito (*www.jornalinfinito.com.br*).
G. Trowbridge, *Swedenborg, Vida e Ensinamento;*
J. H. Spalding, *Introdução ao Pensamento Religioso de Swedenborg;*
S. Toksvig, *Emanuel Swedenborg : Cientista e Místico.*
S. M. Warren, ed., *Um Compêndio dos Escritos Teológicos de Emanuel Swedenborg.*

PRÓLOGO

Muitos livros foram escritos sobre a vida e a época de Emanuel Swedenborg, e descreveram seus estudos, seu prolífico trabalho de autor e suas surpreendentes experiências espirituais. Neste livro, o dr. Michael Stanley agrupou cuidadosamente muitas das idéias-chave e dos ensinamentos de Swedenborg e os organizou de tal forma que atingirão instantaneamente qualquer pessoa atenta. Essa organização não só demonstra a coerência de Swedenborg na apresentação de verdades espirituais, mas sua justaposição possibilita que o leitor possa absorver e apreciar prontamente essas verdades.

Este volume da coleção Mestres do Esoterismo Ocidental oferece uma abordagem agradável a tesouros espirituais que podem responder a questões na mente do leitor, apresenta indicações práticas a respeito da melhoria da vida pessoal e assinala os caminhos de conjunção com o Senhor Deus. Uma considerável quantidade de material valioso está coletada neste livro muito útil. É um guia extraordinário para aqueles que estão encontrando os escritos teológicos de Swedenborg pela primeira vez e leva-os diretamente às idéias centrais sem a necessidade de consultar extensos índices e de ler profusos trabalhos acadêmicos. A seleção do material que compõe este volume é por si só o resultado de inspiração, e apóia-se em um profundo conhecimento dos inúmeros escritos de Swedenborg. Uma importante característica é a inclusão de comentários explicativos pelo dr. Stanley. Esses servem para destacar princípios importantes em citações particulares e para esclarecer e ampliar as idéias contidas em outras. O leitor encontrará nesses comentários muita ajuda para um melhor entendimento da mensagem de Swedenborg. O capítulo do dr. Stanley intitulado "Estrutura do Pensamento Espiritual de Swedenborg" deve ser lido cuidadosamente, pois oferece uma base cósmica e divina para a existência do seu humano e mostra claramente como o homem modela seu destino eterno pela forma como se relaciona com o Senhor, como ele pensa e sente e como se manifesta em seu desempenho. Este é um poderoso material psicoespiritual que pode preparar o leitor para o impacto da Nova Era que se avizinha.

Esta obra condensa de forma conveniente um amplo espectro de princípios espirituais revelados por Swedenborg e ajuda o leitor a vislumbrar a força íntima da criação. O leitor ficará satisfeito com sua praticidade e apreciará o cuidado e amor com os quais foi preparado.

Philip William Groves
Sydney, Austrália

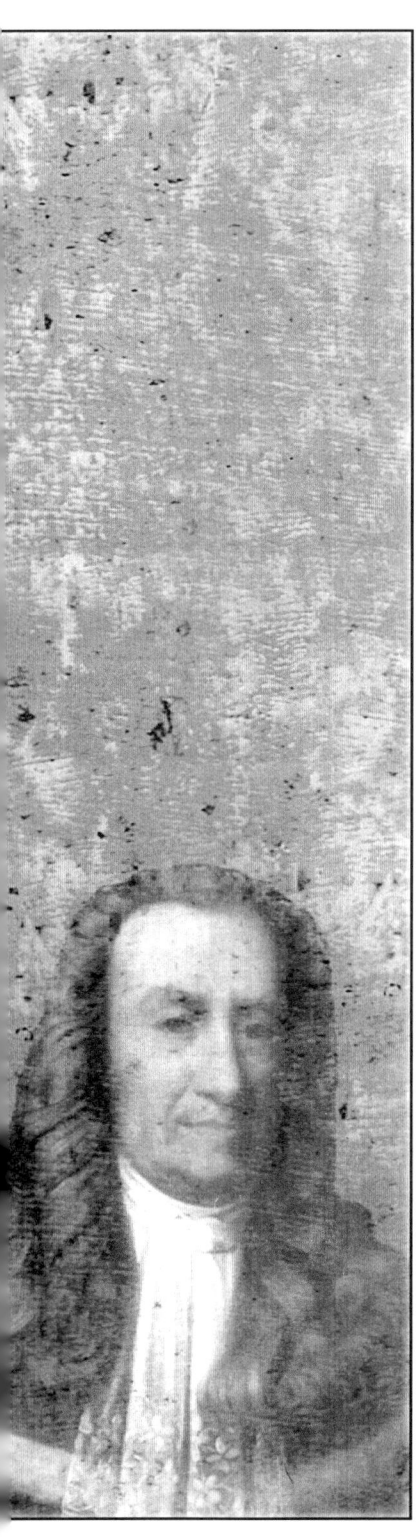

PREFÁCIO

Swedenborg é considerado e citado principalmente como um visionário do reino dos que já partiram, o Mundo Espiritual – particularmente por aqueles que não o leram. Outros o vêem como um teólogo altamente não-ortodoxo, até mesmo herético, difícil de ler, mas excelente para apontar todas as características ilógicas e as falhas da teologia cristã tradicional. Não tão bem conhecida ou percebida é sua extraordinária habilidade de antecipar corretamente muitas áreas essenciais da física moderna, da psicologia e dos ensinamentos-chave espirituais da Nova Era.

Nenhuma explicação, em termos de "sorte" ou ordenação extraordinária, inspirou satisfatoriamente suposições para a amplitude e profundidade de seus vislumbres visionários nessas áreas-chave. Seu pensamento é muito integrado e coeso para tanto e indica que ele descobriu alguma chave essencial para a sabedoria que suplantava a de qualquer um dos contemporâneos ou, de fato, da maioria dos homens. E essa chave é tal que pode ser vista como altamente relevante para o crescente interesse de nossa própria era, essencial para abordar holisticamente a natureza das dimensões física e espiritual da vida.

Em minha introdução, destaquei algumas das maiores antecipações feitas por Swedenborg sobre modernas descobertas em vários campos e empenhei-me para deduzir a natureza de sua chave de revelar os segredos dos mundos físico e espiritual. Entretanto, na seção de antologia, selecionei especificamente dos seus últimos ensinamentos espirituais a forma de oferecer uma visão geral de sua filosofia espiritual, já que ela se relaciona particularmente a muitas áreas de interesse espiritual atual.

Cada seção é introduzida por material explicativo de minha autoria para ajudar no entendimento do intervalo de 200 anos de terminologia e estilo de expressão. Swedenborg foi um escritor prolífico. Um estilo latino típico do período pode freqüentemente obscurecer muitas das suas profundas conclusões. Tenho esperança de que esta particular seleção de leituras e explicações traga algumas dessas conclusões a um foco mais amplo e a um esclarecimento mais efetivo para revelar a grande importância do trabalho de Swedenborg para a espiritualidade holística do nosso tempo.

Michael W. Stanley

INTRODUÇÃO

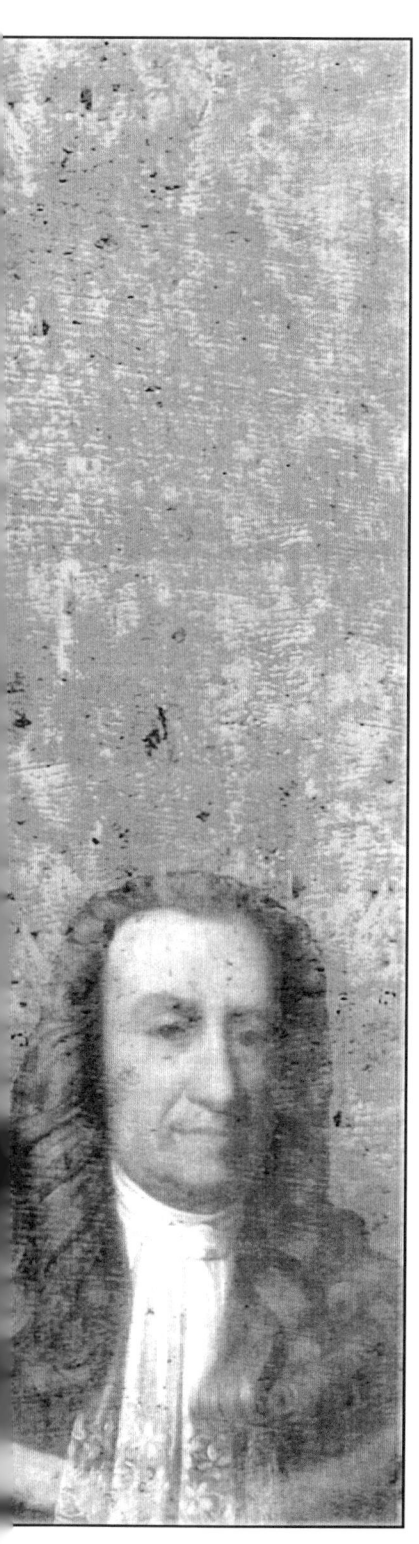

Emanuel Swedenborg nasceu em Estocolmo em 1688, em uma família religiosa e rica – seu pai era Jesper Swedberg, um piedoso pastor luterano que mais tarde se tornou bispo, e sua mãe, Sara Behm, uma alma gentil e bondosa que morreu quando Emanuel tinha apenas 8 anos. Ele recebeu uma educação clássica na Universidade de Uppsala, mas o principal interesse de Emanuel logo se mostrou ser a mecânica e a química – uma obsessão de como as coisas funcionavam e a invenção de novos dispositivos mecânicos. Swedenborg tinha um grande amor por seu país nativo, a Suécia, e um forte desejo de servi-lo, ajudando a levá-lo ao mundo moderno das invenções e tecnologias científicas; afinal, essa era a época de Descartes e Newton e do mundo "mecanizado". O desejo de tornar-se útil permaneceria com ele e tornar-se-ia a doutrina-chave nos escritos espirituais em sua idade madura.

O jovem Emanuel atirou-se ao estudo de todas as ciências matemáticas e físicas da época, com particular interesse em mineralogia e metalurgia, ambas de grande importância prática na economia da Suécia. Mais tarde, foi indicado "assessor extraordinário" da Câmara Real de Minas, que controlava toda a indústria de mineração sueca.

Embora provavelmente estivesse informado a respeito das principais idéias das tradições neoplatônicas e gnósticas nas universidades em que estudou, não há menção em seus escritos juvenis de quaisquer ordens de realidade supra-sensíveis, ou a necessidade de desenvolver uma fonte intuitiva interna acima da razão e da evidência factual – conceitos-chave que mais tarde o ajudariam a fazer um surpreendente número de antecipações de descobertas científicas dos séculos XIX e XX.

Nessa época, sua visão de natureza (seguindo Descartes e Newton) era a de uma grande máquina cujos maravilhosos trabalhos poderiam ser descobertos pela paciente observação, pelo experimento e pelo cálculo. Mesmo não sendo materialista, tendia a demonstrar a auto-existência e auto-suficiência do mundo revelado pelos sentidos. Talvez tenha logo percebido que ia nessa direção, pois desenvolveu uma grande preocupação pelo fato de os pensadores científicos e filosóficos da época correrem o risco de perder de vista Deus e a alma.

Em 1734, aos 46 anos, publicou seu primeiro grande trabalho científico, *The Mineral Kingdom* (O Mundo Mineral), em três partes. A primeira parte, chamada *Principia*, era uma hipótese física teórica da origem do mundo material de uma fonte infinita invisível. As outras duas partes eram trabalhos mineralógicos exaustivos do ferro e do cobre. Além de estabelecer firmemente sua reputação como cientista e como o mais famoso mineralogista da Europa, também mostrava o alcance de seu pensamento na busca da causa das coisas e é seu primeiro trabalho demonstrando como princípios intuitivos podem levar a previsões científicas de amplo alcance.

O que temos em *Principia* é uma aplicação dos níveis ou emanações de realidade neoplatônica acoplados com princípios de geometria e dinâmica que se comprovaram bem-sucedidos no trato do mundo físico e suas forças. Swedenborg percebeu claramente que, para que *qualquer coisa* exista, deve ser *continuamente criada de dentro de si mesma*:

O ser mantido em ser está constantemente vindo a ser. *AC 775*

Desde que, para Swedenborg, espaço, tempo e matéria originam-se do Infinito, que por sua vez não tem espaço, nem tempo, nem matéria, sua origem, vista em seu próprio nível físico, só pode ser um ponto adimensional, não limitado em sua localização, mas universalmente presente em todos os lugares. Já que esse "ponto natural", como Swedenborg o chamou, é o vínculo do mundo físico com o infinito, todo ponto deve conter em si energia infinita. Devemos notar aqui como a física moderna chegou à mesma conclusão – que as menores partículas descobertas podem ser adimensionais, com a situação embaraçosa de disporem energias infinitas atrapalhando as equações matemáticas. O que desafia ou acena para os físicos como um ponto final era, de fato, o ponto de partida de Swedenborg.

O "ponto natural" de Swedenborg é o primeiro lugar em que se manifesta a infinita criatividade do Divino, como se encontrava em uma dimensão mais elevada sem tempo e sem espaço. A Criação se processa passo a passo envolvendo a retirada de energia pela constrição ou limitação.

O ponto inicial sem dimensão é restrito a mover-se em um certo caminho limitado (um tipo de espiral, supervórtice), demarcando uma forma no espaço com um grau finito de energia. Essa forma ou partícula finita tem, assim que formada, uma velocidade rotacional em torno de um eixo polar e é restrita a mover-se de uma forma ainda mais limitada, formando uma partícula energética menor. E assim por diante, até um átomo ser formado sem dinâmica interna disponível para mover-se (o átomo "inerte" usado por Newton como base para sua descrição mecânica do mundo).

Em seu *Principia*, Swedenborg aplicou essa teoria para chegar à origem do magnetismo (com base em suas partículas rotativas polares norte-sul) e à origem dos sóis e sistemas planetários da atmosfera etérea. Suas previsões foram reconhecidas pelo sueco vencedor do Prêmio Nobel Svante Arrhenius, como segue:

> Se resumirmos as idéias que foram pela primeira vez expressas por Swedenborg e depois usadas – consciente ou inconscientemente – de forma bastante modificada por outros autores de cosmologias, descobrimos que elas se referem a:
>
> - Os planetas do nosso Sistema Solar originam-se de material solar...
> - A Terra e outros planetas removeram-se gradualmente do Sol e receberam um tempo prolongado de revolução...
> - O tempo de rotação da Terra, que corresponde ao dia, foi gradualmente aumentado...
> - Os sóis estão dispostos em torno da Via Láctea...
> - Há sistemas ainda maiores, nos quais estão dispostas as Vias Lácteas...

Outras previsões que devem ser acrescentadas são que as estrelas têm rotação axial e que se movem em curso espiral em torno da Via Láctea, e o que agora chamamos de Novae são estrelas lançando uma crosta como um anel do qual são formados novos planetas. Finalmente, Swedenborg também lançou a idéia de que as estrelas podem pulsar, liberando energia vibratória radiante. Tais estrelas foram recentemente descobertas de fato e receberam o nome de pulsares.

Swedenborg estava bem consciente de que aquilo que faltava em seu relato de matéria finita, originando-se no Divino Infinito como pontos energéticos sem dimensão, era a alma ou espírito. Isso ficou claro em seu trabalho seguinte intitulado *The Infinite and Final Cause of Creation* (O Infinito e a Causa Final da Criação), escrito logo depois do *Principia* e publicado também em 1734. O propósito final da criatividade divina não é o mundo físico da matéria, mas o homem, como uma alma imortal.

No mundo físico, o "ponto natural" pode ser visto como a conexão entre o Criador e a matéria. Mas qual é a ligação entre o Deus Infinito e o homem visto como alma imortal? E qual é a ligação entre o corpo e a alma?

Respondendo à primeira questão, Swedenborg sugere – sem explicação ou sinal de seu entendimento nesse estágio – que Cristo é a ligação. A segunda questão o coloca em sua grande busca subseqüente pela ligação entre alma e corpo, e prova da existência da alma dentro do corpo. Seu ponto de partida foi um estudo anatômico altamente detalhado do corpo propriamente dito. Preparando-se para isso, foi à França e à Itália a fim de estudar dissecação e os principais anatomistas da época. Ele publicou os resultados em 1740, em um livro no mínimo, notável, cujo título pode ser traduzido como *The Organization of the Soul's Kingdom* (A Organização do Reino da Alma) [na maioria das vezes literalmente, mas equivocadamente, traduzido como *The Economy of the Animal Kingdom*], no qual oferece um relato detalhado dos sistemas circulatório e cerebral do corpo e tenta chegar a conclusões a respeito de suas causas subjacentes. No curto espaço de seis anos, o filósofo cientista da matéria tornou-se o filósofo anatomista do corpo, usando agora princípios neoplatônicos para analisar e hipotetizar com base em suas recentes e detalhadas informações anatômicas. Vimos quão bem a combinação da filosofia neoplatônica e o estudo da matéria inorgânica funciona nas previsões das descobertas físicas modernas. Funcionaria também com matéria orgânica na forma do corpo humano vivo?

Numerosas induções e intuições fisiológicas de Swedenborg foram confirmadas pela ciência médica, muitas delas só recentemente. Alguns poucos exemplos são:

1. A coincidência dos movimentos do cérebro com a respiração.
2. A independência do movimento animador do cérebro e a respiração dos pulmões.
3. A extensão do movimento respiratório do cérebro e dos pulmões para as extremidades do corpo.
4. A existência do fluido cérebro-espinhal.
5. A circulação do fluido cérebro-espinhal por meio de interstícios entre fibras e nervos do corpo.
6. O gânglio central (*corpora striata*) e os gânglios espinhais assumem algumas das iniciações de movimentos do cérebro (reflexos condicionados).
7. A existência do canal central da medula espinhal.
8. Os lóbulos óticos estão conectados com o sentido da visão.
9. A consciência está nos elementos corticais (cinzentos) do cérebro.
10. A função do cérebro é parcialmente como a de "laboratório químico" distribuindo produtos químicos por intermédio da glândula pituitária.
11. O sangue está continuamente sendo substituído.

12. A qualidade do sangue depende do órgão e da pessoa.
13. As menores partículas orgânicas ("fibras", "elementos corticais") são centros independentes de forças dotados de vida individual.
14. Cada órgão e "fibra" seleciona suas próprias necessidades nutritivas do suprimento de sangue oferecido pelo coração em sua ação bombeadora. (O plasma sanguíneo não é forçado para dentro dos tecidos, mas seletivamente admitido pelos próprios tecidos.)

E tudo isso de um homem cujo objetivo principal não era aumentar conhecimento científico, mas encontrar o lugar da alma no corpo e estabelecer sua existência!

Precisamos parar aqui para observar o método de trabalho de Swedenborg e como chegava a suas conclusões; pois, apesar de o objeto, ao qual, mais tarde, ele devotaria toda a atenção, ser discretamente diferente do corpo humano, o método e os princípios usados aqui permaneceram como guias constantes por todas as suas explorações posteriores do mundo espiritual.

Em sua metodologia, primeiro vem a observação de fatos exteriores. Apenas ocasionalmente usando observações de seu próprio trabalho de dissecação, na maioria das vezes ele utilizou as observações dos melhores anatomistas da época – Leeuwenhoeck, Malpighi, Ruysch, Bidloo e outros. Depois, aplicava o que chamava "doutrina das séries e graus" a todas as observações para descobrir interconexões e as funções de cada parte no todo, pois Swedenborg acreditava profundamente que nada tinha sido formado sem algum uso e que o que não está a serviço, nem é servido, faz parte integral dele.

Resumindo, essa metafísica holística que Swedenborg encontrou ilustrada tão abundantemente na psicologia humana é a seguinte: a Criação é de formas que dão a aparência ao espaço, tempo, substancialidade e individualidade ("espaço, tempo, matéria e pessoa"). Cada forma é emanação perpétua de uma Fonte Infinita em uma série de níveis ou graus de forma, a última, mais inferior ou mais exterior, sendo aquela da matéria física. Formas em um nível são prolongamentos de conglomerados das formas seguintes mais elevadas, restritos pela retirada de um grau de liberdade e energia para mover-se em um padrão definido. A totalidade da cadeia pode ser visualizada como em uma "caixa chinesa", com séries de formas dentro de formas, com uma fonte ao centro de cada uma e de todas elas. O padrão de cada forma *corresponde*, de alguma maneira, a alguma faceta da forma mais elevada da qual perpetuamente ela emana. Em relação às formas inferiores, as superiores são mais puras, perfeitas, simples, permanentes, flexíveis, distintas, bonitas, livres, potentes e unânimes. Quando não obstruídas, as formas superiores trazem suas várias formas inferiores derivadas em uma harmoniosa unidade, formando a imagem do Um, com suas infinitamente distintas variedades de partes indissoluvelmente ligadas em um todo. Assim, as formas superiores esforçam-se para "subordinar e coordenar" as inferiores, para que assim todas as partes dependam umas das outras e sirvam ao todo. Formas superiores dão existência e propósito às outras, e elas mesmas observam formas ainda mais elevadas das quais dependem e às quais servem.

Enquanto cada forma estiver cumprindo seu próprio propósito, também desempenha o propósito comum ou universal do todo. Formas superiores são livres em relação às inferiores. Elas não são destruídas pela dissolução de suas formas inferiores. Afinal, a alma sobrevive à dissolução do corpo. Elas podem ou não consentir o que acontece em graus inferiores. O corpo humano é o projeto de ordem mais perfeito que se pode encontrar em toda a criação.

É evidente que esse último vislumbre veio a Swedenborg muito antes de ele escrever seu *Principia* sobre a evolução dos elementos inorgânicos. De fato, de alguns de seus trabalhos não-publicados, pode-se perceber que aquela obra pretendia abrir caminho para o estudo da alma humana, e de como esta governa e forma o material orgânico do corpo humano. Novamente, percebemos que Swedenborg não procurava descobertas científicas, mas um meio de provar racionalmente aos ateus que o corpo vive por intermédio de uma alma imortal que, por sua vez, vive por meio de Deus.

Em um trabalho seguinte em 1774, sobre outros órgãos do corpo, intitulado *The Kingdom of the Soul (The Animal Kingdom)* (O Reino da Alma) (O Reino Animal), Swedenborg, ainda preocupado com ameaça de um agnosticismo crescente, escreveu:

> Estas minhas páginas foram escritas visando àqueles que nunca acreditaram em nada além do que podem adquirir por meio do entendimento. Tais pessoas estão inclinadas a negar a existência de qualquer coisa mais sublime que elas mesmas, como, por exemplo, a alma. Negam tais coisas como a imortalidade e o Céu, classificando-as como frases vazias e fábulas. *AK Vol. I 22*

Percebemos um enorme esforço de Swedenborg na aplicação da "doutrina de séries, graus e correspondências" no estudo do corpo físico; mas o que dizer a respeito de sua abordagem da parte mental do ser humano? A princípio, ele seguiu uma divisão tripla da mente, remanescente da divisão neoplatônica, considerando uma mente instintiva inferior afetada diretamente pelos sentidos; uma mente racional capaz de refletir o conteúdo da mente inferior; e um "puro intelecto" intuitivo anterior, superior, mais universal e perfeito do que a mente racional.

Considerando que a mente inferior nasce sem idéias natas (seguindo Locke), o puro intelecto – que está acima do pensamento – dá à mente racional seu poder de reconhecer verdades naturais e de se opor às espirituais. Em relação à mente racional, o puro intelecto compreende intuitiva e holisticamente mais do que separadamente, bem como não temporária e espacialmente; ele nem desenvolve nem deteriora. Quando, mais tarde, o mundo espiritual tornou-se visível a ele, e ficou claro que sua própria estrutura e anatomia eram idênticas àquela do corpo físico, ele previu a descoberta do Prêmio Nobel Roger Sperry, na década de 1960, ao descobrir que a metade direita do cérebro capacita a mente de responder intuitiva e holisticamente às experiências, enquanto a metade esquerda permite que ela analise e racionalize sua experiência.

Entretanto, mesmo antes dessa descoberta da natureza do mundo espiritual, em um trabalho subseqüente não-publicado devotado quase exclusivamente ao assunto "mente" propriamente dito, Swedenborg deixou claro que há níveis acima (dentro) do puro intelecto, especificamente aquele de uma natureza verdadeiramente espiritual ou inteligência e, acima deste, da Divina Sabedoria propriamente dita. Uma idéia importante é aquela da comunhão de almas, ligadas umas às outras por meio de algum tipo de vibração que pode ser sentida pela alma. Em seu *Rational Psychology* (Psicologia Racional), Swedenborg fala do propósito da criação com "uma sociedade de almas mais perfeita".

> Em uma forma de sociedade mais perfeita, deve haver não apenas uma variedade de almas, mas uma variedade em que as diversas almas estão em tal concórdia que juntas constituem uma sociedade na qual nada pode faltar que não seja encontrado na alma de alguém. Assim é a forma no mundo atmosférico do macrocosmo; assim é entre as partes constituintes de cada corpo individual, isto é, entre suas fibras, glândulas, etc. A essa variedade eu chamo harmônica, sendo uma variedade na qual todos os constituintes variados relacionam-se mutuamente uns com os outros por meio de uma analogia natural, e dessa forma constituem uma sociedade que é una. *RP 535*

Assim, aqui, Swedenborg chegou perto de sua posterior descoberta espiritual – que todas as almas estão dispostas no espaço espiritual em relação ou correspondência aos relacionamentos funcionais das múltiplas partes do corpo humano. A isso ele chamou *Maximus Homo*, literalmente "O Homem Maior" (inicialmente traduzido como "Grande Homem" e algumas vezes como "Humano Universal").

Swedenborg começa agora a referir-se um pouco mais a tópicos religiosos como Deus, Cristo, Céu e Inferno, bem e mal. Mas, apesar de ser obviamente bem-sucedido em termos mundanos, não está feliz com ele mesmo e fica predisposto a estados de melancolia. De um diário privado que começou em 1743, percebemos que ele tinha problemas em viver sob pressão de seu despertar interior. Não surpreendentemente, o orgulho tornou-se seu maior problema espiritual e, talvez, uma preocupação sobre seu amor por coisas mundanas. O diário, mantido por cerca de 18 meses, é essencialmente um registro de seus mais vívidos sonhos na época, e a interpretação de seus significados para ele. O que resultou foi uma luta clássica entre seus sentimentos superiores e inferiores, um conflito íntimo constante que ele, mais tarde, chamou "combate de tentações". As mulheres em seus sonhos eram interpretadas como musas, os aspectos da vida para os quais era atraído e dos quais gostava. A natureza notadamente sexual de diversos desses sonhos e a facilidade com que Swedenborg escrevia sobre detalhes sexuais íntimos eliminam qualquer tipo de repressão freudiana. As próprias interpretações de Swedenborg das mulheres nos sonhos são relacionadas a seu amor pela ciência, filosofia e verdade espiritual, e sua necessidade de abandonar as primeiras para devotar-se às últimas. Essas interpretações são perfeitamente corroboradas por sua subseqüente mudança de vida, com a persistente serenidade e sabedoria tranqüila. Resumindo, Swedenborg acreditava que seus sonhos indicavam uma mudança acontecendo dentro dele que exigia a sua renúncia de objetivos presentes e métodos – aqueles de provar a existência da alma pelo estudo da anatomia humana, a fim de preparar-se para um caminho superior de serviço à humanidade.

Cessando a publicação de volumes adicionais planejados de seu *Organization of the Human Soul* (Organização da Alma Humana), ele preferiu escrever um encantador relato poético da história da criação bíblica chamado *The Worship and Love of God* (A Devoção e o Amor de Deus), incorporando em notas elementos de sua visão filosófica e fisiológica.

Daí em diante, a Bíblia passou a ser a principal fonte para os estudos, análises e deduções de Swedenborg – não mais para ser entendida de acordo com seu significado literal, mas como relato alegórico da jornada da alma propriamente dita.

O que teria acontecido para causar tamanha mudança de direção na vida de Swedenborg? Parece que ele experimentou, de maneira dramaticamente intensa, a manifestação de Cristo e Seu amor. Por anos, Swedenborg teve gosto em discutir e analisar racionalmente o assunto amor – exteriormente. Mas como a vida de alguém é transformada quando repentinamente o amor é experimentado interiormente! Tanto metafórica quanto literalmente, um mundo inteiramente novo estava prestes a se abrir aos olhos de Swedenborg; pois de forma gradual, durante o ano de 1745, ele escreve sobre ter sido admitido ao reino de Deus "pelo próprio Messias" e lá falado com vários personagens celestiais e com "os mortos que tinham se levantado novamente".

Pelos 27 anos restantes de sua vida, ele registrou em detalhe experiências do mundo espiritual interior, visto, ouvido e sentido pelos seus sentidos espirituais, e o mundo íntimo da Bíblia como se tivesse ele se revelado ante sua intuição espiritual.

Resolutamente, ele abriu mão da carreira mundana e devotou-se totalmente a esse novo chamado – de revelar o significado espiritual íntimo da Bíblia e explorar a natureza do mundo espiritual real pelas experiências diretas de seus sentidos espirituais. Preparando-se com compilações de índices bíblicos, aprendendo hebraico, registrando suas experiências espirituais e fazendo diversas tentativas preliminares para entender o desenvolvimento e a jornada da alma nas páginas do Velho Testamento, publicou em 1749 uma completa análise, linha a linha, do significado simbólico dos livros de Gênesis e Êxodo. Esse trabalho de oito volumes (12 em inglês) intitulado *Arcana Caelestia*, ou *Heavenly Revealed* (Segredos Celestiais), mantém-se como uma maravilha de constantes vislumbres psicoespirituais, apesar de seu estilo teologicamente pedante e pesado que muitos pensam ter sido usado para manter os segredos celestiais.

Dos muitos livros espirituais que se seguiram, mencionarei apenas alguns poucos dentre os que fazem parte de seu principal trabalho. Uma lista completa é apresentada na Bibliografia.

Em *Heaven and Hell* (Céu e Inferno), talvez seu trabalho mais conhecido e mais lido, de 1758, apresenta uma análise experimental do mundo espiritual que ele vinha sentindo pelos últimos 13 anos. Esse livro não é mera narrativa espiritualista de cenários e arquitetura de outro mundo; é uma magnífica tentativa de ajudar o leitor a entender todo o mundo espiritual como uma imagem exterior retratando a alma, o Divino e as distorções do ego.

Divine Love and Wisdom (Amor e Sabedoria Divinos), publicado em 1763, descreve seu entendimento maduro da doutrina da criação em emanações, esferas (ou auras), séries e graus. Conclui com uma seção devotada ao jogo mental entre vontade e entendimento e sua correspondência espelhada na interação entre o coração e os pulmões no corpo.

Divine Providence (Divina Providência), publicado no ano seguinte, descreve como a Natureza Divina, inevitavelmente, envolve uma ordem inviolável em sua operação, que governa tudo que criou, particularmente em relação às distorções da vida introduzidas pelo homem. Os primeiros capítulos contêm alguns dos esforços de Swedenborg para expressar a mais profunda relação mística do homem finito com sua fonte infinita em Deus.

Depois, em um livro intitulado *Conjugial Love* (Amor Conjugal), publicado em 1768, Swedenborg voltou sua atenção para uma área que tinha sido bastante mal-entendida, se não mal-interpretada, pelo Cristianismo exotérico – a sexualidade e a união do homem e da mulher. Apesar de parecer similar, de alguma forma, ao ensinamento alquímico a respeito da união entre masculino e feminino na alma, difere em sua aplicação prática de profundos fundamentos espirituais diante de homens e mulheres envolvidos com desejo sexual, Eros e profundos interesses em união de alma com um companheiro.

Swedenborg retornou novamente para a interpretação bíblica em seu *Apocalypse Revealed* (Apocalipse Revelado), publicado em 1766. Trabalhando verso a verso o último livro da Bíblia, ele vê nele a "colheita do bom" depois que as "taras" do demônio, plenamente desenvolvidas, foram derrotadas. Swedenborg expressa suas opiniões em relação à vida e ao ensinamento de religiões corporativas, tais como as Igrejas Católica e Protestante, mostrando como demônios sutis e falsidades se desenvolvem em formas variadas nas Igrejas, até que um ponto crucial é atingido, quando, de acordo com a Ordem Divina, um último Julgamento acontece, separando o bem maturado do mal crescido entre aqueles de dentro das Igrejas.

Seu grande trabalho final, publicado em 1771, um ano antes de falecer, foi chamado *The True Christian Religion* (A Verdadeira Religião Cristã). Ele oferece um tipo de compêndio de seus principais ensinamentos teológicos, freqüentemente expressos em terminologia protestante da época. De alguma maneira, um magnífico resumo, apesar de, na opinião deste escritor, faltar-lhe muito dos conceitos psicoespirituais e místicos dos primeiros trabalhos, presumivelmente para atender os teólogos da época em seus próprios termos.

Swedenborg morreu pacificamente em Londres, em 1772, com 84 anos, ainda com completo vigor mental, que tinha sido sua dádiva por toda a vida, e calmamente acreditando em uma vida sem-fim em um mundo espiritual universal que lhe era muito familiar.

I

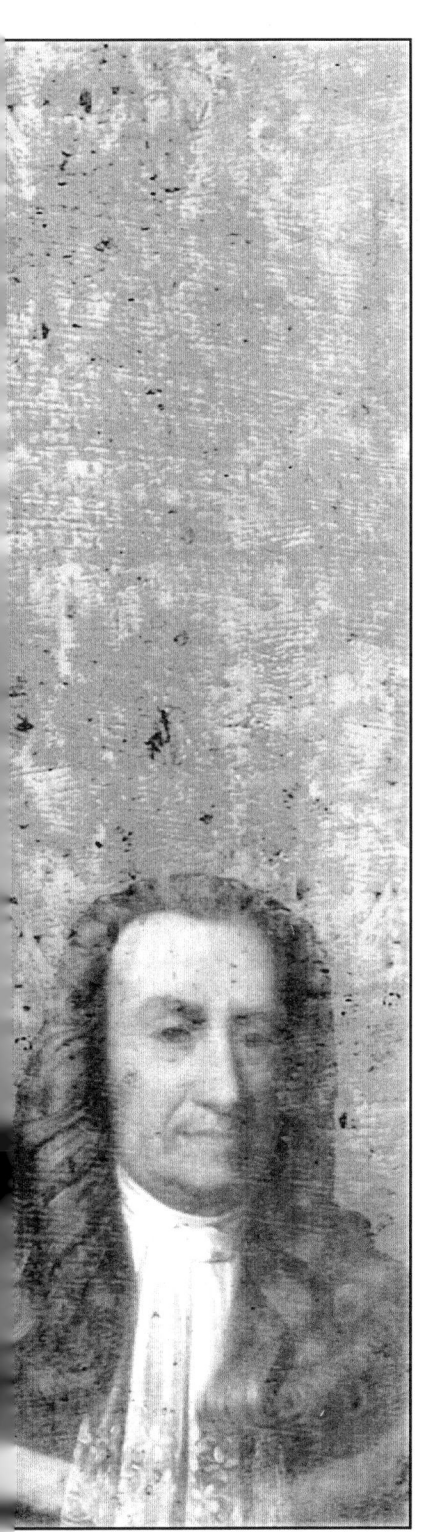

ESTRUTURA DO PENSAMENTO ESPIRITUAL DE SWEDENBORG

A fantástica habilidade de Swedenborg em intuir corretamente vários aspectos-chave da Física moderna e de muitas descobertas psicológicas atuais (e futuras?) exige explicação. O espaço não permitirá um exame desse assunto importante e intrigante em um livro como este. É suficiente dizer aqui que uma parte da resposta pode estar na aplicação dos princípios hermético-platônicos ao conhecimento fisiológico de sua época, particularmente sua Doutrina de Correspondência.

UNIVERSALIDADE

Swedenborg ensina a unidade subjacente de toda a vida como emanando de uma fonte infinita descrita como o Amor; e que toda vida existe em níveis diferentes e únicos; e em modos que estão relacionados totalmente ou em parte com uma forma ou organismo superior que ele chama – o Grande Homem ou Homem Universal.

No corpo físico, essa forma está perfeitamente espelhada nas funções hierárquicas e inter-relacionadas de seus órgãos e células. Na mente, o mesmo padrão é visto nas várias funções mentais, com a vontade relacionada com o coração, e o entendimento, com os pulmões. A mente superior, ou espírito, é por si só parte integral do Homem Universal; e a alma mais íntima é a forma daquilo que Swedenborg chamou o Humano Divino, ou Filho de Deus – o Cristo dos evangelhos. Assim, em essência, a humanidade é uma comunidade, e toda a religião parte de uma religião universal eterna. Os mais íntimos pensamentos e sentimentos do homem, portanto, não são dele mesmo, mas parte de um fluxo de vida dos níveis mais altos da emanação divina. Ainda, em cada um desses níveis, cada homem ou espírito tem uma personalidade distinta que lhe permite assumir seu lugar na perfeição do todo (se ele quiser permitir que os níveis internos mais elevados o governem).

LIBERDADE ESPIRITUAL

Assim, em seus mais íntimos recônditos, o homem está eternamente unido à fonte, mas, em seus níveis exteriores, ele está livre para responder em correspondência com seu íntimo superior ou a distorcer o padrão universal da vida (essa última alternativa sendo a origem do mal). Os níveis superiores íntimos são os "Céus Internos". Basicamente, são em número de dois: um nível mais elevado chamado celestial, que é essencialmente um amor e profundo apreço pelo todo, ou Um, ou Deus (o Senhor); e um nível inferior, o espiritual, que é essencialmente um amor e uma consciência da bondade de todas as partes do todo (os próximos). O grau celestial é holístico e místico, e o espiritual, mais analítico e estruturado.

UNIÃO COM O SENHOR E O PRÓXIMO

Entretanto, quando o homem vive em reinos não celestiais de seu espírito, despercebido de seu Céu íntimo e da divina filiação, não sente amor pelo Senhor ou o próximo, mas inevitavelmente se julga separado deles; esse estado é chamado Inferno. Com certeza, há muitos graus desse estado, desde o muito suave até o horrivelmente grotesco (escuridão exterior). Em tal estado, ele é incapaz de experimentar a unidade do amor (do Senhor ou do próximo). Apenas a revelação do Divino – a luz acima (dentro de sua alma) – pode penetrar a escuridão, procedendo à sua redenção.

A Palavra Divina chama a alma por meio de formas ou imagens manifestas – da beleza da natureza, da música ou dos sonhos, mas, em particular (como no caso específico de Swedenborg), pela forma escrita da Sagrada Escritura. Quando a palavra é recebida, o Divino Espírito Santo é capaz de despertar as profundezas separadas no homem e agitar seu coração (ou vontade) para arrepender-se e buscar a união com o todo (com o Senhor e o próximo). O filho é chamado, escuta e decide retornar à casa de seu Pai.

DOUTRINA DO USO

Quando essa reunião acontece, a vontade inferior une-se à intenção divina e o amor faz o que é útil, isto é, torna-se condutor do bem e da felicidade do todo. Esse é o amor do bem, proveitoso, ou serviço. A mais elevada consciência da verdade está, portanto, ligada com a motivação de servir os interesses espirituais verdadeiros de todas as partes (espíritos), de forma prática e espiritual. Longe de se perder os sentidos individuais com essa união com o Um, pelo contrário, o homem sente-se mais distinta e prazerosamente enquanto participa como uma parte do todo. O objeto do amor mais elevado do homem não é, portanto, o Infinito, que ele nem mesmo compreende, mas o Humano Divino ou Cristo, que é a forma do Todo a qual sua mente superior pode perceber e com a qual pode relacionar-se.

A QUEDA

Proprium, significando "o que pertence a alguém", é a palavra que Swedenborg usa para a capacidade de o homem experimentar a vida *como se* fosse independente do Um (Deus). A similaridade do *proprium* ao uso moderno do "ego" para indicar a área da auto-identidade é o campo da consciência, e isso está claro. É a interpretação do *proprium* (ou ego) daquilo que ele vê ou sente com os sentidos corporais que cria a grande ilusão dentro da qual o homem cai – a crença de que ele é separado, independente e essencialmente solitário em um imenso mundo desconhecido. Daí, surgem todas as emoções negativas de medo, vergonha, culpa, inveja, ódio, etc. Apesar de o mundo do homem ser a princípio caído, é nele que desponta a Redenção.

ENCARNAÇÃO E REDENÇÃO

Houve uma época, na história do declínio espiritual da humanidade na Terra, em que o grau de escuridão espiritual cresceu perigosamente a ponto de tornar impossível, a qualquer um, "ver a luz", o que motivou o Divino interior a encarnar e redimir seu mundo. Naquela época, o Divino projetou de Si mesmo o nascimento especial de um Filho que deveria ser a Luz que iluminasse a escuridão do homem. Essa encarnação única tomou forma em Jesus de Nazaré, em quem a grande batalha entre os poderes da escuridão e da luz desenvolveu-se, na qual Jesus como o Cristo "derrotou os infernos por meio de combates às tentações" em sua alma. A vitória total de Jesus preservou a liberdade espiritual de o homem ver a luz e de retornar ao Pai, e levou Jesus Cristo a uma união total e completa com o Pai Divino (a glorificação do Senhor).

Esse padrão combativo de regeneração ou crescimento espiritual precisa ocorrer dentro de cada indivíduo (caído): a entrada da luz, ou a Encarnação (nascimento do Cristo interno); reconhecimento e entendimento do *proprium* (autocentrismo egoísta); arrependimento – a volta ao Pai em amor e liberdade; redenção – o resgate divino da alma das fronteiras infernais da ilusão e do egoísmo do *proprium*. Assim, pelo homem, o Cristo interno redime eternamente o mundo do homem.

REGENERAÇÃO

Esse processo completo de retorno (regeneração) é como um novo nascimento. A semente, como lembrança das experiências celestiais, é implantada na consciência natural do homem desde seu nascimento físico. O homem em regeneração vai por ciclos de iluminação, alternados por uma conscientização de alguns "demônios" ou tendências do *proprium* que espreitam das profundezas de sua mente (freqüentemente muito bem disfarçadas). A batalha iminente, chamada combate à tentação, é travada entre o Cristo interno (a Luz) e as forças da escuridão (os infernos). A vitória sobre o mal é conquistada por uma combinação da vontade do homem e da aceitação do poder do Divino interno, embora sentido como esforço único do próprio homem. Dessa forma, o Divino e o homem são como um e unidos na luta interna; afinal, o homem gosta da paz interior, humildade e alegria que representa Deus dentro dele, quando então se encontra em estado de graça. Esse processo de purificação repete-se eternamente, já que a limpeza total da consciência natural e da vida nunca é completamente alcançada.

VIDA APÓS A MORTE

Depois da morte do corpo físico, estados do mundo interior manifestam-se exteriormente em formas correspondentes, espelhando os céus, o Inferno ou estados intermediários que foram vividos na época. Como este é um mundo compartilhado, qualquer um é capaz de associar-se e comunicar-se com outros que dividem a mesma região de espaço espiritual, isto é, em condições espirituais interiores similares. A existência do corpo físico normalmente impede qualquer despertar de consciência desse fenômeno espiritual, mas, em certas circunstâncias, a consciência é autorizada a adentrar, permitindo comunicação consciente entre os espíritos e os homens. Aqueles que vivem em regiões celestiais de seus espíritos são chamados anjos, e os que estão nas partes infernais são denominados demônios, ou, às vezes, espíritos do mal.

AMOR CONJUGAL

Adicionalmente às divisões realidade/ilusão e Céu/Inferno no homem, há também uma divisão entre coração e mente – ou entre sentimentos subjetivos e pensamento objetivo lógico. Esse último é um aspecto mais consciente no masculino, que relega o sentimento subjetivo ao inconsciente. Com o feminino acontece o contrário. O homem é, como sempre foi, o explorador de novos territórios (produtor de sabedoria) e a mulher é a integradora e nutridora do que é descoberto (amante da sabedoria assim produzida). Assim, os elementos inconscientes em um sexo ressoam com e excitam os princípios mais expostos do outro. Quando uma união verdadeiramente profunda entre ambos os aspectos acontece, pelo vínculo do homem com a contraparte apropriada, Swedenborg identifica a união conjugal. O par humano que se encontra em amor conjugal forma essencialmente um anjo – não no corpo ou mente exterior, mas no coração íntimo, na mente e na alma.

DISTRIBUIÇÃO DAS ERAS

Os ciclos regenerativos interiores no espírito individual têm sua contraparte coletiva em grupos (igrejas), tanto pequenos como grandes, tanto globalizados como não. Com a maioria deles, a distribuição espiritual ou eras foram quatro desde o princípio da humanidade na Terra, com uma quinta (a era da Nova Jerusalém) prestes a ter início. Cada era começou com uma revelação divina especial com forma distinta; e terminou com uma fase de completa corrupção espiritual, ensinamentos distorcidos que precisam ser julgados (especificamente identificando-os e separando-os dos elementos puros que sustentarão a próxima era espiritual).

Um tal Julgamento ilustrado miticamente na Bíblia é a história de Noé e o Dilúvio. As características distintivas do que é melhor em cada uma dessas eras estão espelhadas no desenvolvimento psicológico potencial do indivíduo, da infância à adolescência, e da juventude até a sabedoria da velhice.

NOVA ERA

Swedenborg previu que a Nova Era seria marcada pela maturidade na forma de uma predominância da verdadeira liberdade interior diante dos dogmas ou autoritarismos de qualquer espécie – a liberdade interior que apenas a sabedoria da humanidade madura pode trazer, aquela que a Vontade de Deus traz – para aceitar alegremente e viver em harmonia com nossa verdadeira natureza (mais elevada), que deve ser parte única e integral do todo Humano Universal cuja alma é o próprio Divino.

*****

O que mostramos aqui rapidamente foi uma tentativa de destilar algumas idéias essenciais do pensamento de Swedenborg. Entretanto, deve se manter em mente que, apesar de talvez não conseguirmos alcançar essa filosofia espiritual sem absorver muito da antiga sabedoria e da moldura neoplatônico-gnóstica, ou sem suas experiências com os que já partiram em seu mundo espiritual manifestado, as bases para o crescimento de sua psicologia espiritual da alma detalhada eram a Bíblia propriamente dita. E, dentro da sagrada escritura da Bíblia, ele encontrou a Palavra Divina que lhe revelou os padrões e estágios dinâmicos da queda e do renascimento da alma. É a essa Palavra que ele convoca o leitor repetidamente, para estudar e meditar, com a ajuda de uma "verdadeira doutrina de Deus e do homem". A ligação correspondente entre os mundos interior e exterior oferece uma chave a cada um e todos os homens para receber a luz da Verdade Divina. Expressando suas experiências espirituais e percepções em uma linguagem natural e racional, e descrevendo claramente como a chave de correspondência funciona particularmente nas escrituras sagradas, ele esforçou-se para abrir a porta para o homem moderno "racional" atravessar em busca de si mesmo, da verdade, do Céu interior e de sua união essencial com o Divino.

É a parte de um homem sábio ver e perceber a verdade da luz do Céu, mas não é confirmar o que é dito por outros. *AE 190*

Ninguém apreende o sentido genuíno da Palavra além daqueles que são iluminados. E só são iluminados os que estão apaixonados e têm fé no Senhor, pois suas intenções são elevadas pelo Senhor até mesmo à luz do Céu. *AC 10323*

II

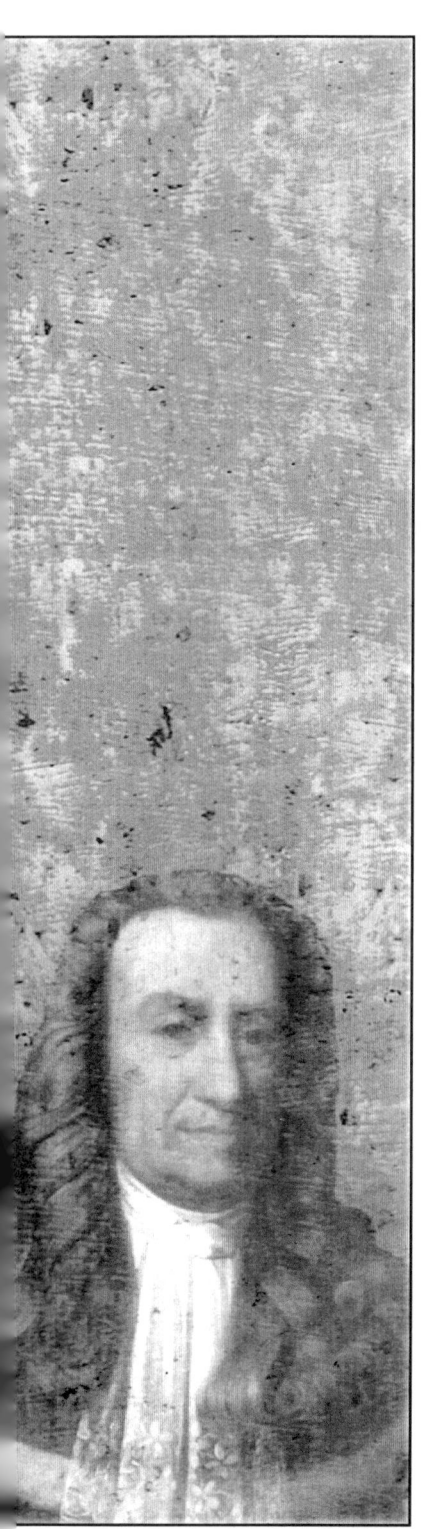

NATUREZA DIVINA

Swedenborg começa diversos de seus principais trabalhos com um grande esforço para revelar suas próprias percepções da natureza divina. Na sua visão, nada é mais vital para um homem do que a concepção que ele tem de Deus, ou do Divino, pois o espírito do homem se desenvolverá nessa direção e assim determinará seu verdadeiro caráter e estado de ser.

Quão importante é ter uma idéia correta de Deus pode ser ponderado disto: a idéia de Deus constitui o pensamento mais íntimo entre todos os que têm uma religião, pois tudo de religião e devoção diz respeito a Deus. Também porque Deus, universalmente e em particular, está em todas as coisas de religião e devoção, e assim, sem uma idéia correta de Deus, não é possível comunicação com os céus. *DLW 13*

A idéia de Deus é a chefe de todas as idéias. Pois a comunicação do homem com o Céu e a sua conjunção com o Senhor são qualificadas por essa idéia. E, por essa razão, acontece sua iluminação, afeição pela verdade e pelo bem, percepção, inteligência e sabedoria; pois essas coisas não são do homem, mas do Senhor, de acordo com a conjunção com ele. *AE 957*[3]

O todo da religião é baseado sobre a idéia que se tem de Deus, e em conformidade com ela. *Can 1*

INFINITO E ETERNO (SEM ESPAÇO E SEM TEMPO)

Swedenborg estava bem consciente da natureza incompreensível do Divino como ele é em si mesmo – além das fronteiras de espaço e tempo, e da habilidade finita de conceitualizar de todos os homens.

O Divino é Infinito, e de Infinito nada mais pode ser dito além de que ele é ele mesmo, ou Ele É, assim Deus Ele Mesmo. *AC 12619*
Sabe-se que o Divino, por ser Infinito, não cabe nas idéias pensadas de qualquer homem ou anjo, pois esses são finitos, e o finito não é capaz de perceber o infinito. *AR 31²*
No Senhor, não há nada além do que é Infinito, e desde que Ele é Infinito, Ele não pode ser apreendido por qualquer idéia além de ser a essência e manifestação de todo bem e verdade. *AC 2803*

Apesar disso, o conceito de infinito (como o conceito matemático) pode e deve ter um lugar importante em nossa percepção intuitiva.

Apesar de a mente humana poder entender, das muitas coisas no Universo criado, que a entidade primordial do Primeiro Ser é Infinita, ainda assim não pode conhecer Sua natureza, e portanto não consegue defini-La a não ser como Todo Infinito. A mente humana só pode declarar que isso subsiste em Si Mesmo e conseqüentemente é a única Substância; (...) Mas o que acrescentam essas conclusões se elas não adicionam luz alguma à natureza do Infinito? Pois a mente humana, apesar de altamente analítica e elevada, é por si só finita, e sua qualidade finita não pode ser separada dela. Ela é, portanto, incapaz de compreender a infinidade de Deus como se apresenta n'Ele, e, assim, incapaz de compreender Deus. Entretanto, pode vê-Lo veladamente, como se por trás (...) as coisas visíveis no mundo e, em particular, as coisas aparentes na Palavra. Por isso, é claro que é inútil desejar conhecê-Lo do finito, isto é, coisas criadas nas quais Ele está infinitamente. *TCR 28*
O que é infinito e eterno não pode ser compreendido pelo finito, e mesmo assim pode ser. Não pode sê-lo porque o finito não contém o infinito; e pode ser compreendido porque há idéias abstratas por meio das quais se percebe que as coisas existem, mesmo sem conhecer sua natureza. *DP 46*
Que o Infinito n'Ele mesmo e o Eterno n'Ele mesmo são o Divino pode ser visto pelos homens, e ainda assim não são vistos. Pode ser visto por aqueles que pensam no Infinito não do espaço e no Eterno não do tempo; mas não é enxergado por aqueles que pensam no Infinito e no Eterno do espaço e tempo. *DP 48*

Claramente, o problema está relacionado à tendência natural de o homem ver e experimentar espacial e temporalmente.

Há duas coisas próprias da natureza – espaço e tempo. É delas que o homem no mundo natural forma as idéias dos pensamentos e, assim, do entendimento. Se ele permanece com essas idéias e não eleva sua mente acima delas, não pode perceber nunca qualquer coisa espiritual e divina, pois as envolve em idéias derivadas do espaço e tempo, e, na medida em que faz isso, a luz de seu entendimento torna-se meramente natural. *DLW 69*

> Em contraste, o estado celestial afasta-se cada vez mais da ênfase natural dada ao tempo e espaço.

Na outra vida, não há nada de espaço e tempo, mas estados de acordo com os quais existe aparência com espaço e tempo; e a vida é tão mais celestial quanto se puder removê-la do espaço e tempo, aproximando-a mais do que é eterno, no qual não há idéia de tempo ou qualquer coisa análoga. *AC 2654*[6]

> Swedenborg exorta seu leitor a elevar a mente além das idéias de tempo e espaço para que possa compreender alguma coisa do que é o infinito e o eterno.

Mas eu lhes suplico que não confundam suas idéias com tempo e espaço, pois, à medida que qualquer coisa de tempo e espaço estiver presente em suas idéias quando lerem o que segue, não as entenderão. Pois o Divino não está no tempo e no espaço. *DLW 51*

A criação propriamente dita não pode ser compreendida a menos que tempo e espaço sejam removidos do pensamento, mas, se os deslocarmos, pode ser compreendida. Removam-nos, se puderem, ou tanto quanto puderem, e mantenham em mente uma idéia abstraída do espaço e do tempo, e perceberão que não há diferença entre o máximo e o mínimo de espaço (...) Há coisas infinitas no homem-Deus (...) e essas coisas inumeráveis existem como em uma imagem [do homem-Deus] no Universo criado. *DLW 155*

> O Divino é muito mais do que incompreensível em suas atividades de manifestação de incontáveis maneiras. (Hoje podemos usar o exemplo da eletricidade – invisível, mas sentida pelos seus efeitos.) Pode-se aproximar delas, mas não alcançá-las completa e diretamente.

A natureza universal é um teatro representativo do Reino do Senhor; assim, o Divino está em todo particular da natureza, de modo que essa natureza é uma representação do Eterno e Infinito – do Eterno da propagação até a eternidade, do infinito da multiplicação de sementes ao infinito. *AC 5116*[2]

O DIVINO, ELE PRÓPRIO, COMO AMOR

Como, então, pode o homem conhecer o incompreensível? Para Swedenborg, é claro, o Divino é Amor. E é para "amar" que o homem deveria buscar uma compreensão da consciência e percepção da Natureza Divina.

O Divino por si mesmo é puro Amor. *AC 6849*

E como vamos entender esse termo ambíguo "amor" aplicado ao Divino Infinito? Sendo essencialmente infinito, ele é por si mesmo incompreensível.

O próprio Ser Divino é Amor totalmente incompreensível ao homem. *AC 5042*

Mas o Amor tem incontáveis facetas, ou aspectos variados, algumas das quais qualquer um pode conhecer. Das muitas definições de amor que Swedenborg apresentou em seus trabalhos, as seguintes parecem ser as mais importantes.

O amor, em sua essência, é querer; e, em sua existência, é fazer. Pois o que um homem ama, ele quer; e o que ele quer desse amor, ele faz. *AC 797*

A entidade celestial do amor não quer existir por si mesma, mas por todos, assim compartilhando tudo o que possui com os outros. É nisso que consiste essencialmente o amor celestial. *AC 1419*

Visto em si, o amor nada é além de desejo e, por isso, uma luta por união. *CL 37*

Amor em si não é amor por si mesmo, mas amar outros para ser unido a eles pelo amor. Ser amado pelos outros também é essencial no amor, pois assim a união acontece. A essência de todo amor consiste na união; de fato, é sua vida que é chamada alegria, delícia, doçura, bênção e felicidade. O amor consiste naquilo que lhe pertence, pertencer também ao outro; e sentir a alegria do outro como alegria própria, isso é amar. *DLW 47*

O mais elevado ou íntimo é o Amor Celestial, para o qual nenhum atributo é apropriado além do amor puro e, assim, de pura misericórdia por toda a raça humana; misericórdia que quer salvar todos os homens, fazê-los eternamente felizes e compartilhar com eles tudo o que possui – assim, por pura misericórdia e pelo poder do amor de levar ao Céu, isto é, em direção a si mesma, todos aqueles que quiserem segui-la. *AC 1735*

O Amor Divino é amor para com toda a raça humana... quer salvá-la para torná-la abençoada e feliz por toda a eternidade e para compartilhar com ela sua Divindade, assim que consiga recebê-la. *AC 4735*[2]

AMOR E SABEDORIA

Dentro do Divino está a unidade de amor e sabedoria. Enquanto a mente intelectual enxerga-as como distintas, Swedenborg explica que em realidade uma não existe sem a outra. O aspecto amor nessa unidade é tanto essencial quanto invisível; o aspecto sabedoria, por outro lado, é formativo e visível. Não se pode ter um sem o outro, sob pena de perder-se a natureza essencial da Realidade Divina.

Diz-se que amor e sabedoria são coisas distintas, mas ainda assim tão unidas que o amor é de sabedoria, e sabedoria é de amor; pois na sabedoria está o amor e no amor existe sabedoria. *DLW 34*

A sabedoria que não se une ao seu amor parece ser sabedoria, mas não é; enquanto o amor que não se une à sua sabedoria parece ser amor, mas não é. *DLW 39*

O amor mostra-se para ser reconhecido e visto na sabedoria; e porque é visto e reconhecido ali, a sabedoria é sua imagem. Além disso, o amor é a essência da vida, e a sabedoria é a manifestação da vida daí por diante. A semelhança e imagem de Deus aparece claramente nos anjos, pois o amor de dentro brilha em suas faces, e a sabedoria, em sua beleza; e a beleza é a forma de seu amor. *DLW 358*

O amor só pode ser entendido de sua qualidade, e sua qualidade é a sabedoria; e sua qualidade ou sabedoria só pode existir de sua essência que é o amor; por isso, amor e sabedoria são um. *DP 13*

Amor e sabedoria procedem do Senhor como um, mas não são recebidos como um pelos anjos. E a sabedoria que prevalece sobre o amor aparece como sabedoria, mas ainda não é, pois na superabundância de sabedoria não há vida do amor nela. *DLW 125*

[A sabedoria, do ponto de vista do homem] não produz amor, mas simplesmente ensina e mostra o caminho, explicando como o homem devia viver e mostrando o caminho que devia seguir. *DLW 244*

> Swedenborg esforça-se para distinguir para nós as características da verdadeira sabedoria (como oposta à capacidade intelectual ou mera inteligência).

Pelo poder de crescer sábio, não se pode entender o poder de discutir a respeito de verdades e bens do conhecimento nem o poder de confirmar qualquer que seja a vontade do homem, mas para discernir o que é verdade e bem, para escolher o que é aceitável e aplicá-los na vida. *AC 10227[3]*

Sabedoria é usar o amor, isto é, amar o bem de um cidadão companheiro, da sociedade, do país e da Igreja. *HH 390*

Receber o bem do Senhor e dali em diante querer o bem é sabedoria. *AC 5070*

A coisa mais importante na sabedoria é perceber sem discutir que uma coisa é verdadeira ou não. *AC 5556*

O estado de sabedoria acontece quando o homem não tem mais preocupação sobre o entendimento das verdades e bens, mas a respeito de querê-los e vivê-los; pois isso é ser sábio. *AC 10225[6]*

USO

Amor e sabedoria conjugados não são estáticos, mas necessariamente observam e geram um terceiro aspecto, o uso que pode ter para outros. Assim, aqui existe essa trindade fundamental na unidade.

Sem uso, amor e sabedoria são meras idéias abstratas de pensamento (...) mas, com o uso, os dois juntam-se e tornam-se uma unidade que é chamada real. Amor, sendo a atividade da vida, não pode prevalecer se não estiver fazendo alguma coisa; nem pode a sabedoria existir e subsistir, exceto quando fazendo alguma coisa do amor e com ele; e fazer é usar... *CL 183³*

Porque o Senhor é Amor e Sabedoria por Si mesmo, Ele também é Uso por Si mesmo. Pois amor tem o uso como fim, que ele traz pela sabedoria. Pois, sem uso, amor e sabedoria não têm fronteiras ou uso, isto é, não têm habitação própria. Conseqüentemente, não pode ser dito que eles têm essência ou existência a menos que tenham um uso no qual se apliquem. *DLW 230*

Todos os que pensam com qualquer iluminação podem ver que o amor tem o uso como fim, e pretende isso, e consegue isso por meio da sabedoria. Pois amor de si mesmo não tem uso, mas pode tê-lo pela sabedoria. De fato, o que seria o amor se não houvesse alguma coisa amada? Essa alguma coisa é o uso, e porque esse uso é aquilo que é amado, trazido por meio da sabedoria, segue-se que o uso é o recipiente da sabedoria e do amor. *DLW 297*

Na prática, esse termo importante "uso" é inicialmente equivalente ao conceito de "bem".

Uso é fazer o bem do amor por meio da sabedoria. O uso é o bem propriamente dito. *CL 183*

Todas as coisas boas que existem em ação são chamadas "usos". *DLW 336*

VERDADE

Assim como o amor é o coração da sabedoria, o bem é o coração da verdade, e a verdade é a forma do bem, quando intelectualmente perceptível, então é chamado verdade. *AC 3049*

O bem que pensa um homem sábio, é verdade, que se torna bem quando ele o quiser e o fizer. *ISB 7*

CRIATIVIDADE

O Amor e a Sabedoria (ou resumindo, apenas amor) do Divino são, por sua própria natureza, criativos. Pois qualquer forma que exista (por exemplo, um átomo) precisa ser perpetuamente criada e sustentada de dentro dela mesma.

Preservação de conexão e forma é criação perpétua. *AC 4822*

Que o Universo consiste em usos perpétuos, produzidos pela sabedoria e iniciados pelo amor, pode ser visto como em um espelho por todo homem sábio quando ele adquire uma idéia geral do Universo e observa-o sob essa luz. *TCR 47*

Esse Universo criado não é Deus, apesar de ser feito d'Ele, mas é alguma coisa aparte, de tal forma que Ele possa nele habitar.

O infinito não pode proceder do finito. Ainda, o infinito pode proceder (...) através do finito. Por outro lado, o finito não pode proceder do infinito; e dizer isso também é uma contradição. O finito, entretanto, pode ser produzido do infinito, mas isso é uma criação, não uma procedência. *DP 219*

Toda coisa criada, em virtude de sua origem, é tal em sua natureza que pode ser um recipiente de Deus, não por continuidade, mas por contigüidade. Pela última e não pela primeira há a conjunção. Pois ela está em acordo, porque foi criada em Deus, por Deus. E, assim sendo criada, é um análogo, e por essa conjunção é como uma imagem de Deus em um espelho. *DLW 56*

A criação resultante é um Universo completo construído de partes interdependentes (coerentes).

A ordem é que uma coisa é para o bem de outra, e essa, portanto, depende da primeira como uma corrente com seus elos. *CL 85*

O Universo é um trabalho coerente com as primeiras coisas criadas, porque é um trabalho com fins, causas e efeitos indissoluvelmente ligados entre si. Como em todo amor há um fim, e como em toda sabedoria há uma promoção desse fim por meio de causas imediatas e dos efeitos, que são usos, conclui-se que o Universo é um trabalho envolvente do Amor Divino, da Sabedoria Divina e dos Usos, e assim um trabalho inteiramente coerente com as primeiras coisas até as últimas. *TCR 47*

HUMANIDADE DIVINA

A forma de manifestação divina mais completa, universal e perfeita é aquela chamada por Swedenborg o Humano Divino. Esse conceito tem alguma relação com o homem primevo do Hinduísmo e o Adam Kadmon da Cabala judaica. Na visão de Swedenborg, e, mais tarde, de Blake, o espelho no qual Deus pode ser visto é a perfeição essencial da humanidade.

O próprio Infinito que se estende acima de todos os céus e do ser mais íntimo do homem não pode ser manifestado, exceto por meio do Humano Divino, que só existe com o Senhor. Comunicação do infinito com o ser finito não é possível de qualquer outra fonte. *AC 1988²*

> Swedenborg reforça a idéia de perigo para a mente finita quando tenta compreender e relacionar-se com Deus de forma diferente da do seu Humano Divino.

A menos que a idéia formada de Deus admita que Ele é a primeira Substância e Forma, e que Sua forma é a Forma Humana, as mentes dos homens prontamente adquirem idéias vagas e fantásticas a respeito de Deus, da origem do homem e da criação do mundo. Eles entenderão Deus como natureza em seus princípios primitivos, como a expansão do Universo ou como uma irrealidade vazia. *TCR 20*

Não há em todos os céus nenhuma outra idéia de Deus que não a idéia do Homem. A razão é que o Céu como um todo e em parte é uma forma semelhante a um Homem, e o Divino que está com os anjos constrói um céu. Por essa razão, é impossível para os anjos pensar a respeito de Deus de qualquer outra forma. *DLW 11*

A união do homem com o Senhor não é com Seu supremo Divino Ser, mas com Seu Humano Divino; pois o homem não tem idéia do supremo Divino do Senhor, o qual transcende tanto sua idéia que juntas perecem e tornam-se nada; mas ele pode ter uma idéia de Seu Humano Divino. Pois todos estão ligados pelo pensamento e pela afeição com alguém a respeito de quem conheçam, mas não com alguém sobre quem não conheçam. *AC 4211²*

> Cada ser humano individual é apenas finito, e nele só pode mirar uma faceta do Humano Divino, considerando que os céus angélicos, vistos como um todo, manifestam potencialmente esse Humano Divino em sua infinidade.

A razão pela qual os homens não podem entender como o Criador do Universo pode ser em uma forma humana é porque formam suas idéias da forma do Universo a partir da concepção do espaço. Tal idéia não pertence a Deus, a menos que haja a idéia do Procedimento Divino. *Ath Creed 120*

> É tão importante, de fato, a concepção do homem dessa forma Humana Divina que ela determina seu derradeiro destino.

A todos estão reservados lugares nos céus de acordo com o conceito que a fé deles lhes deu a respeito do Humano Divino do Senhor. *DD 19*

ESPÍRITO (PROCEDIMENTO DIVINO)

Considerando que "Humano" indica a forma perpétua do Divino, "Espírito" ou "Procedimento Divino" representa o aspecto dinâmico da esfera radiante, ação ou atividade.

O Espírito Santo é o Divino em movimento, assim a Verdade Divina ensinando, reformando, regenerando e dando vida. *Can 17*[1]

O Divino chamado Espírito Santo procede do próprio Deus por meio de Seu Humano, comparativamente àquilo que procede do homem, isto é, o que ele ensina e realiza de sua alma por meio do corpo. *Can 32*

O Infinito e o Eterno são o Divino em Si mesmo, ou o Senhor n'Ele mesmo; mas o Infinito e Eterno d'Ele Mesmo é o Procedimento Divino, isto é, o Senhor em outros criados d'Ele mesmo, assim nos homens e nos anjos; e esse Divino é o mesmo que a Divina Providência. *DP 55*

Assim, há três aspectos de divindade.

O Divino chamado Pai é o Divino Ser (*esse*); o Humano Divino chamado Filho é a Divina Manifestação (*existere*) desse Ser; e o Divino chamado Espírito Santo é o Procedimento Divino da Divina Manifestação do Divino Ser. Essa trindade é o Senhor no Céu. *AE 1111*[4]

Essa mesma trindade está no humano finito criado ou anjo.

Um anjo do Céu é uma trindade e, portanto, um. O *ser* de um anjo é chamado alma, sua *manifestação* é denominada seu corpo, e o procedimento de ambos é chamado a esfera de sua vida, sem a qual um anjo nem existe nem é. É dessa trindade que um anjo é uma imagem de Deus, e é chamado um filho de Deus, e também um herdeiro, de fato, também um deus. *AE 1111*[3]

TRINDADE

A trindade essencial no Divino agora está clara – uma fonte invisível ou Alma, o Divino; uma manifestação visível (ou corporal) dessa fonte, o Humano Divino; e uma energia radiante, o Espírito Divino. Em relação ao Senhor Jesus Cristo, essa é a trindade do Pai, Filho e Espírito Santo; e Swedenborg freqüentemente deixa claro que corromper isso é atribuir uma noção plural de pessoas à Trindade que é na realidade uma Unidade.

Quando se diz que o Pai, Filho e Espírito Santo são três essências de um Deus, como a alma, o corpo e as ações no homem, parece à mente humana como se essas três essências fossem três Pessoas, o que é impossível; mas, quando fica entendido que o Divino do Pai que constitui a alma, o Divino do Filho que constitui o corpo e o Divino do Espírito Santo ou do Procedimento Divino que constitui as operações são as três essências de um Deus, a declaração torna-se compreensível. *TCR 168*

O perigo de limitar a compreensão espiritual dirigindo o pensamento a indivíduos separados é freqüentemente enfatizado.

Os anjos, porque são espirituais, pensam e falam no abstrato a respeito de tais coisas, e por isso têm inteligência e sabedoria; pois uma idéia de pessoa e lugar limita o pensamento, porque o confina naquelas coisas e assim as limita. Essa idéia do pensamento é propriamente natural, considerando que uma idéia à parte de pessoa e lugar se estende pelo céu em todas as direções e não é mais alcançada pela visão do olho enquanto ele veja o céu sem objetos intervenientes; tal idéia é propriamente espiritual. *AE 405*[2]

No mundo espiritual ou no Céu, as coisas espirituais, e não pessoais, são assunto de reflexão, pois pessoas limitam as idéias e concentram-nas sobre coisas finitas; considerando que as coisas espirituais não limitam e não concentram, mas estendem-se para o infinito, e, assim, para o Senhor. *AC 5225*

Na idéia espiritual, o homem não é uma pessoa, mas um uso. Pois uma idéia espiritual não envolve noção de personalidade, já que não tem referência para idéias de matéria, espaço e tempo. Quando, portanto, alguém vê outro no Céu, ele o vê como um homem, mas pensa nele como um uso. *DL 13*[4]

> Essa trindade está estampada em todas as formas vivas da criação (espelhando sua fonte) como essência, forma e esfera exterior de manifestação ou atividade. Está em toda obra que fazemos como motivação, idéia e ação. Essas três, pode dizer-se, demarcam três aspectos do homem como espírito – sua vontade, o veículo de motivação; seu entendimento, o veículo da idéia; e sua atividade corporal, o veículo da ação.

Em todo trabalho divino há um começo, um meio e um fim; o começo passa pelo meio até o fim, e assim existe e subsiste; conseqüentemente, o fim é a base. Novamente, o início está no meio e, por intermédio do meio está no fim, e assim o fim é o recipiente; e porque o fim é o recipiente e a base, é também o apoio. Será compreendido pelo estudioso que essas três fases podem ser chamadas fim, causa e efeito; também ser, tornar e existir: o fim é ser, a causa é tornar e o efeito é existir. Conseqüentemente, em tudo que é completo há uma trindade, chamada o começo, o meio e o fim; também o fim, a causa e o efeito; e também ser, tornar e existir. *DSS 27, 28*

> A Trindade Divina existe em uma Pessoa Divina, ou Humano Divino, chamado por Swedenborg o Senhor.

A Unidade na qual está a Trindade, ou o Deus único que é trino, não existe no Divino que é chamado Pai nem no Divino que é chamado Espírito Santo, mas somente no Senhor; pois o Senhor é trino, isto é, o Divino chamado Pai, o Humano Divino chamado Filho e o Procedimento Divino que é o Espírito Santo, e essa trindade é Um, pois é de uma Pessoa, e pode ser chamada uma Tríade. *AE 1106*[3]

Um Divino por si mesmo não é possível, deve haver uma trindade; essa trindade consiste no ser, no existir e no procedimento, pois ser precisa existir e, já que existe, deve avançar para produzir, e essa trindade é uma em essência e uma em Pessoa, e é Deus... *AE 1111*[3]

III

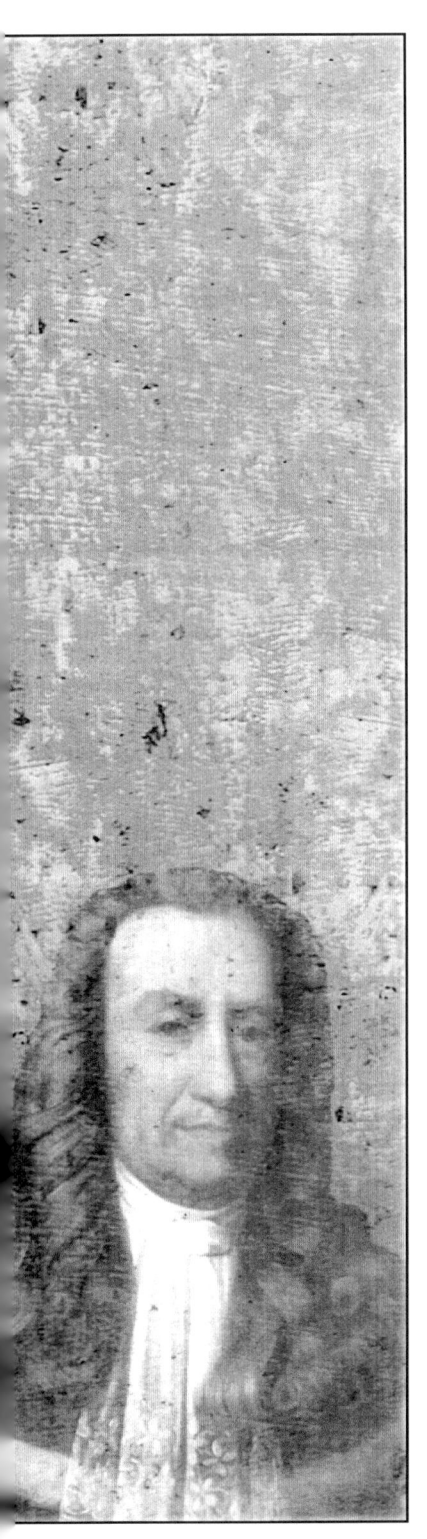

NATUREZA DO HOMEM

O que é o homem e o mundo feito – do Divino, de algum material preexistente ou do nada? Esse último aspecto, em sua forma mais simples, não faz com que Swedenborg perca muito tempo.

> Diz-se que o mundo em sua complexidade foi criado do nada, e do nada é fomentada uma idéia do nada absoluto. Assim, fora do nada absoluto, nada é ou pode ser feito. Essa é uma verdade permanente. O Universo, portanto, que é a imagem de Deus, e, por isso, cheio de Deus, só poderia ser criado em Deus por Deus (...) ainda que o que é criado em Deus por Deus não é contínuo d'Ele. Pois Deus é Ser em Si mesmo, e nas coisas criadas não há qualquer Ser em Si mesmo. Se houvesse nas coisas criadas qualquer Ser em Si mesmo, isso seria uma continuidade de Deus, e o que é continuidade de Deus é Deus. *DLW 55*

A segunda possibilidade, proposta por Platão e pela história da Criação bíblica, foi a de que o homem foi criado de uma substância material preexistente (o pó da terra). Swedenborg diverge em reconhecer a substância material como uma emanação contínua, ou roupagem do espiritual e Divino, embora permanecendo distinto do Divino.

A Natureza foi criada para que o espiritual pudesse vestir-se nela com formas que servissem para uso. *AE 1207*[3]

Nas substâncias e matérias das quais a terra foi formada, não há nada do Divino em Si, mas ainda assim elas provêm do Divino em Si. *DLW 305*

O Senhor criou o Universo para que existisse nele uma criação infinita e eterna d'Ele. *DP 202*

Mas ninguém pode ser criado diretamente do Incriado, do Infinito, Ser e Vida em Si, pois o Divino é Um e não divisível, considerando que a criação precisa ser (...) assim formada para que o Divino possa estar nela. Pois homens e anjos são recipientes de vida. *DLW 4*

> Em outras palavras, todas as formas criadas, incluindo o homem, vieram do Divino; não são o Divino propriamente dito, mas são totalmente dependentes do Divino a todo instante, para sua existência. O Divino como Criador não fica *fora* das formas criadas, mas *dentro* delas. Assim, o homem é criado para ser "a residência de Deus" e receber qualidades da vida Divina como se lhe pertencessem.

O fim universal, isto é, o fim de todas as coisas da criação, é que haja uma conjunção eterna do Criador com o Universo criado, e isso não é possível a menos que existam indivíduos nos quais Seu Divino possa ser como em Si mesmo, nos quais Ele possa confiar e habitar. E esses indivíduos, para que possam ser Suas habitações e mansões, precisam ser recipientes de Seu Amor e Sabedoria como deles mesmos, de tal forma que se elevem em direção ao Criador e juntem-se a Ele. Nenhuma união é possível sem essa reciprocidade. *DLW 170*

> Assim, o homem é criado como um recipiente pelo qual a Vida se manifesta de forma especial. Ele não é Amor propriamente dito, mas um potencial manifestador de uma faceta finita do Amor recebido da Fonte Divina. Nesse sentido, ele é uma imagem de seu Criador de modo bem mais completo e perfeito do que outras formas de criação nos reinos mineral, vegetal e animal. Como uma imagem, então, ele também é essencialmente amor ou motivação.

O Amor é a vida do homem. *DLW 1*

FOCO TRÍPLICE DO AMOR NO HOMEM

O homem acredita que seu amor pode ser direcionado ou dirigido a três tipos de objeto: à sua fonte criativa (Deus); às criações de Deus, especialmente a raça humana; e a ele mesmo. A esses Swedenborg chama, respectivamente, amor ao Senhor, amor ao próximo ou caridade e amor próprio. Aqui, Swedenborg usa uma terminologia baseada em aparências – a separação aparente entre mim, as outras pessoas e Deus. No entanto, entenderemos muito mal seu uso desses termos se não prestarmos atenção à advertência contra pensar pessoalmente, em vez de meditar na qualidade ou bem que existe em cada pessoa. Isso se torna mais claro quando o vemos acrescentar um quarto tipo, o amor pelo mundo, classificando esse e o amor-próprio como males.

O amor pelo mundo governa o homem, isto é, o ser está enamorado do mundo quando aquilo que pensa e faz reconhece e persegue nada além de ganho, independentemente de que aquilo que ele adquira seja em detrimento de seu próximo e do povo. *AC 7373*

Esses dois tipos, o amor por si e pelo mundo, trazem o Inferno ao homem, pois lá eles reinam. *AC 7376*

Deve-se saber que os males têm origem dupla, respectivamente, o amor por si mesmo e pelo mundo. Os que estão no mal pelo amor a si mesmos adoram apenas eles mesmos e desprezam todos os outros, exceto os que se igualam a eles – amando aqueles que não os amam, exceto eles mesmos, pois vêem-se neles. Os males dessa origem são os piores de todos, pois os que vivem assim não apenas desprezam todos os outros em comparação com eles mesmos, mas também os perseguem com injúrias, e, por qualquer motivo, fomentam ódio entre eles e depois alimentam sua destruição. Dessa forma, vingança e crueldade tornam-se as delícias de sua vida. Aqueles presos a esses males estão no Inferno em uma profundidade correspondente à qualidade e extensão desse amor. Mas os que estão presos aos males do amor pelo mundo também consideram o próximo como sem importância e só o estimam por conta das posses, e assim amam suas riquezas, e não o semelhante. Eles desejam possuir tudo o que pertence a seu próximo e, quando estão nessa avareza, ficam destituídos de qualquer caridade e misericórdia; pois desprover o próximo de seus bens é a delícia da vida, especialmente daqueles que são sordidamente avarentos, que é amar ouro e prata apenas para possuí-los, e não para fazer uso deles. *AC 8318*[2,3]

> Há duas qualidades básicas de amor: celestial, amor espiritual (uma imagem do Amor Divino), e seu desejo infernal oposto de satisfazer a si mesmo em separado dos outros. O amor verdadeiro e genuíno pode revelar duas facetas: o amor a Deus (o Senhor) e ao próximo, ambos relacionados com o bem observado e experimentado. Quando esse bem é centrado em uma pessoa, ele é chamado amor ao próximo, celestial, ou caridade; e quando visto em relação apenas ao Divino, é denominado amor ao Senhor, ou espiritual. As duas facetas infernais são o amor a si mesmo e o pelo mundo.

O amor a si mesmo afasta dos outros e lhes rouba todos os prazeres dirigindo-os a si mesmo, pois ele deseja o bem exclusivamente para si mesmo, enquanto o amor pelo mundo deseja ter como suas as coisas que pertencem ao próximo. Portanto, esses amores são destruidores dos prazeres alheios. *HH 399*

> Nessas declarações, Swedenborg não se refere ao amor espiritualmente saudável, pois é de Deus em cada alma, que reconhecidamente pertence apenas a Deus (ver Capítulo 4, p. 53). Ele se refere àquele conceito egoísta da alma como uma entidade à parte de Deus, de qualquer um e de qualquer coisa, no qual estão abrigados muitos estados negativos e destrutivos.

As maldades que pertencem àqueles que amam a si mesmos são, em geral, desprezo pelos outros, inveja, inimizade por quem não o favorece e ações hostis nesse campo; vários tipos de ódio, vingança, astúcia, inclemência e crueldade. Onde existem tais males, também há desprezo pelo Divino e pelas coisas divinas, especificamente os bens e as verdades da Igreja; mesmo que honrem tais coisas, fazem-no apenas com os lábios e não com o coração. HD 75

Quão diferentes são as qualidades do amor ao Senhor e ao próximo!

O amor ao Senhor faz do homem um com o Senhor, isto é, constrói uma semelhança; caridade ou amor para com o próximo também faz do homem um com Ele, mas constrói uma imagem. Uma imagem não é uma semelhança, mas aquilo que se aproxima dela. *AC 1013³*

O homem enamorado do Senhor e caridoso para com o próximo é um pequeno Céu. *AC 3691³*

Aquele amor ao Senhor e ao próximo tem em si toda a sabedoria e inteligência que podem despontar naqueles que o praticam. Quando, na outra vida, chegarem ao Céu, eles conhecerão e serão sábios nessas coisas como nunca foram; não como o restante dos anjos, que pensam e falam tais coisas com o ouvido que não ouviu e a mente que não soube, e que são inefáveis. AC *7750³*

Amor para com o Senhor é um amor universal e, conseqüentemente, permeia tudo em todos os detalhes. *TCR 416*

Apesar de esses dois amores parecerem independentes entre si, essencialmente um precisa estar dentro do outro.

O amor pelo Senhor não pode ser separado do amor pelo próximo, pois o amor do Senhor é direcionado a toda a raça humana que Ele quer salvar eternamente e manter junto a Si, de forma que nem um único ser pereça. Portanto, qualquer um que tenha amor pelo Senhor possui o amor do Senhor, assim, não pode deixar de amar ao próximo. *AC 2023*

Amar ao Senhor envolve amar ao próximo, pois o amor ao Senhor se origina n'Ele e, portanto, é propriamente amor por toda a raça humana. Conservar-se no amor ao Senhor é o mesmo que permanecer no Senhor, e nessa situação deve-se inevitavelmente permanecer em Seu amor que é dirigido à raça humana e, portanto, também em direção ao próximo. *AC 2227*

COMO SE

Essa pequena frase, "como se", precisa ser mencionada como uma que toca o coração do mistério da criação do homem e do relacionamento com Deus. Por meio de seu uso, Swedenborg é capaz de lançar uma grande luz no ponto crucial desse relacionamento essencial.

Não é possível ao Senhor estar em qualquer anjo ou homem a menos que ele, em quem o Senhor está com amor e sabedoria, perceba e sinta como se eles fossem seus. Desse modo, o Senhor não é apenas recebido, mas mantido e também amado em retorno. *DLW 115*

Todo anjo tem liberdade e racionalidade. Tendo isso, ele pode ser capaz de receber amor e sabedoria do Senhor mesmo que liberdade e racionalidade sejam do Senhor com ele, e não seus. Mas, por essas duas qualidades serem intimamente conjugadas com sua vida, parecem *como se* fossem suas. Por meio delas, ele é capaz de pensar e querer, e também falar e agir. E o que ele pensa, quer, fala e faz por meio delas parece *como se* fossem originados em si mesmo. Isso causa reciprocidade pela qual se verifica a conjunção. *DLW 116*

Quanto mais proximamente o homem estiver conjugado ao Senhor, mais distintamente ele parece a si mesmo como mestre de si mesmo, e ainda mais evidentemente ele reconhece que é do Senhor. DP 42

LIVRE-ARBÍTRIO (LIBERDADE E RACIONALIDADE)

O homem ter liberdade e racionalidade é um princípio básico dos ensinamentos de Swedenborg. Elas são o fundamento sobre o qual o ser pode se reunificar com Deus em amor, sem perder seu senso de individualidade. Ser verdadeiramente humano é ser livre e capaz de pensar e escolher racionalmente.

Qualquer um tem o que é verdadeiramente humano da racionalidade, com a qual ele pode ver e saber, se quiser, o que é verdade e bom; e também pode, por meio da liberdade, querer, pensar, falar e fazer. *DP 227*[5]

Aqui está a chave de como Deus pode estar no homem, ainda que possa ser tanto diferente de Deus quanto um com Ele.

A liberdade dá vida ao homem, pois sem ela o homem não poderia sentir e perceber que dispõe da vida em si, o que só pode ser sentido e percebido por intermédio da liberdade. Por meio dela, parece ao homem que todas as ações de sua vida são suas e apropriadas a ele, sendo a liberdade o poder de pensar, querer, falar e agir por si mesmo, nesse caso, *como se* por si mesmo. Junto com a vida, o homem foi dotado de liberdade; ela nunca lhe é tirada; pois, se o fosse, o homem passaria a sentir e perceber que não é ele que vive, mas outro que vive nele. *AE 1138*[3]

O MAL E SUA ORIGEM

O mal já foi descrito como o amor por si mesmo e o amor pelo mundo. É uma qualidade de vida que não tem origem independente, mas é uma distorção da vida divina como ela devia fluir através dos seres humanos dotados de livre-arbítrio.

O amor por si não comunica nada aos outros, mas sufoca e abafa todos os seus prazeres e felicidade. Qualquer prazer que flua sobre eles, vindo de outros, é arrebatado e tomado como deles, focado neles e transformado em alguma coisa possuída por eles, tomando o cuidado de que não se espalhe para ninguém mais. Assim fazendo, eles destroem a concórdia e trazem a desunião e, conseqüentemente, a destruição. *AC 2057*[3]

O amor por si é chamado amor, mas, visto em si mesmo, ele é ódio; pois quem age dessa forma não ama ninguém a não ser ele mesmo nem deseja se unir com os outros para lhes dar benefícios, mas apenas para beneficiar-se a si mesmo. *TCR 45*

Essa forma negativa de amor, centrado nos desejos do próprio homem e sem se importar com os dos outros, origina-se de um estado de consciência chamado por Swedenborg de *proprium*, que é similar a alguns usos modernos do termo "ego".

PROPRIUM (EGO)

Proprium deriva do adjetivo latino *proprius*, que significa "o que pertence a alguém". Para Swedenborg, *proprium* é o senso ou consciência de que temos de ser indivíduos separados, autolimitados, com uma mente e um corpo de nossa propriedade à parte de Deus, de outras pessoas e de todas as coisas criadas. Como essa idéia é ilusória, apesar de tão forte, podemos dizer que o *proprium* ou ego, realmente, não existe.

Por *proprium*, ninguém entende nada além de que vive por ele mesmo, e conseqüentemente pensa e quer por ele mesmo. *DP 308*

Por "ser apropriado ao homem" entendem-se coisas que entram em sua vida e tornam-se parte dela, conseqüentemente convertendo-se em sua propriedade. Entretanto, será visto que nada é propriedade do homem; apenas parece como se fosse. *DP 78*

Assim, quando sentimos as coisas dessa forma, estamos predispostos a tornarmo-nos muito interessados em nós mesmos e em nosso bem-estar – autocentrados e egoístas. Descuidamos de Deus e dos outros, de seus sentimentos e necessidades. E, nesse estado negativo, estamos abertos a todos os males que o acompanham, e fechados ao que é bom e verdadeiro.

O *proprium* humano consiste em tudo que é mau e falso que emana do amor por si e pelo mundo. Ele envolve pessoas que não acreditam em Deus e na Palavra, mas apenas em si mesmas, que imaginam que tudo o que não pode ser percebido pelos sentidos ou fatos simplesmente não existe. Como conseqüência, tornam-se nada além de mal e falsidade e assim têm uma visão distorcida de tudo. As coisas más eles vêem como boas, e as boas, como más; coisas falsas são vistas como verdadeiras, e essas, como falsas. As realidades são vistas como nada, e coisas que são nada passam a ser realidade. Eles chamam ódio de amor; espessa escuridão, de luz; morte, de vida, e vice-versa. *AC 210*

Toda vez que o homem olha para si mesmo no bem que faz, abandona-se em seu *proprium*, isto é, em seus males herdados; pois ele, então, olha pelo bem a si mesmo (...) e, portanto, ele apresenta uma imagem de si mesmo em seu bem, e não do Divino. *HH 558ª*

> Uma vez que o *proprium* no homem ou no anjo é essencial para o propósito do Amor Divino de união sem perda de individualidade, facilmente pode induzir o mal. Swedenborg usa freqüentemente o termo *proprium celestial* para descrever nosso sentido aparente de separação que não nos leva a negar a realidade de nossa permanente ligação com o Divino.

A razão de a vida parecer ser propriedade do homem surge porque o Senhor do Amor Divino quer dar e compartilhar com o homem tudo o que é seu e, até onde isso pode ser levado, de fato, compartilha. Esse *proprium* que é dado pelo Senhor é chamado "*proprium celestial*". *AC 8497*

Em geral, o *proprium* pode se apresentar de duas formas: a primeira é o *proprium* infernal; a outra, o *proprium* celestial. Aquele é adquirido do Inferno, o celestial vem do Céu, isto é, do Senhor através do Céu. *AC 3812²*

Há duas coisas que são abandonadas por todos os que entram no Céu: seu *proprium* e a confiança conseqüente, e o mérito pessoal ou sua própria auto-retidão; e assumem um *proprium* celestial que vem do Senhor, e o mérito e a retidão do Senhor; e quanto mais assumem isso, mais mergulham no interior do Céu. *AC 4007⁴*

A natureza desse *proprium* [celestial] é aquela dos anjos quando percebem que vivem pelo Senhor e, mesmo não refletidos na matéria, não alimentam a idéia de que vivem por eles mesmos. *AC 155²*

FALÁCIA (ILUSÃO)

> Como vimos, o sentido de isolamento do ego é, de fato, ilusório ou falacioso, sendo apenas uma aparência que não é verdadeira na realidade.

Uma falácia é uma inversão de ordem; é o julgamento do olho em detrimento da mente, uma conclusão tirada da aparência de uma coisa e não de sua essência. *AE 1215⁴*

As coisas que estão no mundo e sobre a Terra parecem o que não são, estão cheias de falácias (...) por exemplo, há a falácia a respeito da vida do homem, que ela pertence ao corpo, quando de fato ela pertence ao espírito no corpo; a falácia de que a visão pertence ao olho; a audição, ao ouvido; a fala, à língua e boca, quando é o espírito que vê, ouve e fala por meio desses órgãos corporais; a falácia de que a vida é permanente no homem, quando não é; a falácia de que a alma não pode estar na forma humana e ter sentidos humanos e afeições; a falácia a respeito de Céu e Inferno, que o primeiro está acima do homem e o outro abaixo dele, quando de fato estão ambos dentro dele; a falácia de que objetos fluem para o interior, quando o externo não pode fluir para o interno, mas ao contrário; a falácia de que não poderia haver vida depois da morte, a não ser que junto ao corpo material. *AC 6948*

Qualquer coisa que venha do Divino [do Senhor] é real, pois vem da verdadeira fonte das coisas e da essência da vida; mas o que quer que venha do *proprium* do espírito é irreal, pois não vem da fonte das coisas nem da essência da vida. *AC 4623*

A falácia pela qual o homem é iludido tem essa causa principal, ele não sabe que sua liberdade e sua faculdade de agir como se fosse por ele mesmo são resultado de um influxo de vida emanado pelo Senhor em seu íntimo, e que esse influxo não lhe é tirado, pois nasceu um homem gratificado com esse íntimo. *AE 1148*[3]

Como o *proprium* afeta nossa compreensão dos assuntos espirituais?

Quem quer que acredite nas falácias dos sentidos não pode entender que:

1. Um homem depois da morte pode aparecer como tal; e que ele é capaz de experimentar seus sentidos como antes; assim que os anjos gostam deles. Tais pessoas pensam que:
2. a alma é apenas alguma coisa vital, puramente etérea, sobre a qual não se pode formar idéia alguma;
3. é apenas o corpo que sente, vê e ouve;
4. o homem é como um animal, com a única diferença de que pode falar dos pensamentos;
5. a natureza é tudo, e origem de todas as coisas;
6. o homem é apresentado ao pensamento e aprende como pensar por um influxo de natureza interior;
7. o espiritual não existe e, se houver, é de natureza mais pura;
8. o homem não pode gozar felicidade alguma, se privado dos prazeres do amor pela glória, honra ou ganho;
9. a consciência é apenas uma doença da mente, originada da enfermidade do corpo e do fracasso;
10. o Amor Divino do Senhor é o amor pela glória;
11. não há Divina Providência, mas todas as coisas fluem da auto-prudência e auto-inteligência;
12. as honras e riquezas são as bênçãos reais concedidas por Deus; para não mencionar diversas coisas similares. *HD 53*

O homem tem a dádiva de uma faculdade natural que o capacita a raciocinar. Mesmo essa habilidade pode estar sujeita às falácias dos sentidos.

O racional humano – quer dizer, o formado das imagens das coisas mundanas recebidas pelos sentidos, e, mais tarde, das imagens de coisas análogas desejadas, tais como as recebidas pelo conhecimento factual e por cognições – virtualmente ri e zomba se lhe é dito que ele não vive por si, mas apenas assim lhe parece. Da mesma forma, ri se lhe é dito que, quanto menos pensa ser autovivente, mais verdadeiramente vive, mais inteligente e sábio é, e mais abençoado e feliz. E também ri se lhe é dito que a vida é aquela que os anjos possuem, especialmente os que são celestiais e mais íntimos e próximos ao Senhor; pois esses sabem que ninguém, exceto Jeová, o Senhor, vive por Si mesmo.

Esse racional zombaria se lhe dissessem que não tem nada seu e que a posse é uma ilusão ou aparência. Zombaria ainda mais se lhe falassem que, quanto mais se sujeitar à ilusão de que possui qualquer coisa, de fato, menos a tem, e vice-versa. Da mesma forma, zombaria se lhe dissessem que qualquer coisa que pense e faça daquilo que forem suas posses é o mal, mesmo que seja um bem [em seus efeitos], e que ele não tem sabedoria até que acredite e perceba que o mal vem do Inferno e o bem, do Senhor.

Essa é uma convicção, de fato uma percepção, que existe em todos os anjos, mesmo possuindo individualidade e *proprium* na mesma medida que todos os outros. Mas eles percebem que sua individualidade e seu *proprium* vêm do Senhor, mesmo parecendo ser seus.

Esse racional zombaria novamente se lhe fosse dito que, no Céu, os maiores são aqueles que são os menores; que os mais sábios são os que acreditam e percebem que são os menos sábios; que os mais felizes são aqueles que desejam a maior felicidade para os outros e a menor para eles próprios; o Céu consiste em desejar estar abaixo de todos, mas o Inferno é querer estar acima de todos; e que, conseqüentemente, a glória do Céu não se mantém dentro de nada que é mantido pela glória do mundo.

Igualmente, esse racional zombaria se lhe dissessem que não existe tempo e espaço, mas apenas estados nos quais há aparências de tempo e espaço, e que a vida se torna mais celestial à medida que se afasta das coisas que pertencem ao espaço e tempo e quanto mais perto fica daquilo que é eterno – pois aquilo que é eterno não tem absolutamente nada dentro dele que seja recebido pela noção do tempo ou qualquer coisa análoga a isso. *AC 2654*[3-6]

FALSIDADE

A crença de que alguém seja separado de Deus é, de fato, falsa. Dessa falácia, advém o estado de falsidade.

Todas as falácias que se mantêm oscilam entre o mal e o surgimento confirmado das aparências. Enquanto as aparências permanecem aparências, são verdades aparentes de acordo com as quais todos podem pensar e falar. Mas quando elas são aceitas como verdades, como acontece quando são confirmadas, então as verdades aparentes tornam-se falsidades e falácias. *DLW 108*

CULPA

A decisão de acreditar na aparência da separação, assim se afastando da fonte, de Deus, gera um sentimento de culpa e vergonha, ou consciência dolorida.

Todo aquele que acredita que está fazendo tudo por ele mesmo, independentemente se bem ou mal, torna-se culpado; mas o que crê que está realizando, como se fosse ele que faz, não se torna culpado. *AR 224*[10]

Se um homem acredita que tudo o que é bom e verdadeiro vem do Senhor e que todo mal e falsidade vem do Inferno, não pode ser culpado de qualquer falta, nem o mal pode lhe ser imputado; mas, como acredita que vem dele mesmo, ele apropria o mal a si, pois esse é o efeito de sua fé; e dessa maneira o mal adere e não pode ser separado dele. *AC 6324*

MEDO

Culpa gera medo – o medo da solidão e punição pela fonte, ou Deus agora externalizado ou removido de seu centro para aparecer ameaçadoramente contra ele.

Aqueles que estão no mal temem qualquer coisa que pensem e que mostrem de si mesmos, pois não pretendem nada além do mal para seu próximo. *AC 6655*

O medo é, de fato, um vínculo comum tanto para aqueles que estão bem-dispostos quanto para os que estão no mal; mas, com os primeiros, ele é um medo interior, por conta da salvação, isto é, o receio de perecer em alma, perecer se fizessem qualquer coisa contrária à consciência, ou seja, à verdade e ao bem, que pertence à consciência; eles têm, conseqüentemente, medo de fazer qualquer coisa contrária ao que é justo e limpo, assim contrário ao próximo; mas esse medo se torna um medo sagrado, na medida em que está conjugado com a afeição da caridade, e ainda mais se estiver conjugado com o amor ao Senhor. O medo se tornará então como aquele das crianças pequenas em relação aos pais que amam; e então, à medida que estiverem no bem do amor, ele já não surge como medo, e se torna ansiedade. É esse o medo de Deus, tão freqüentemente mencionado na Palavra.

Mas, com aqueles que são maus, não há qualquer medo interior, por conta de salvação e, portanto, de consciência, pois já rejeitaram tal medo no mundo por suas vidas e pelos princípios de falsidade que animam suas vidas; em vez de medo interno, têm medo externo, medo de serem privados de suas honras, ganhos, da reputação por conta deles, de serem punidos pela lei ou de serem privados da vida. Aqueles que estão no mal têm medo disso, enquanto estão no mundo. Quando vão para a outra vida, como não podem ser restritos e mantidos por vínculos pelos medos internos, são pelos medos externos, que lhes são impostos por punição. Isso faz com que tenham medo de fazer o mal; e, por conseqüência, têm medo do Divino, mas, como foi dito, um medo exterior, sem qualquer intenção de fazer o mal por afeição ao bem, mas pelo temor à punição, que finalmente eles antecipam. *AC 7280*[1,2]

Porém, espiritualmente, o medo é inútil.

O medo não afeta nada. *SD 2899*

No entanto, há uma forma celestial ou sagrada de medo que é parte do amor celestial, e não deve ser confundido com o medo do *proprium*.

O medo sagrado que é representado pelo medo de Deus (...) é amor, mas um amor como aquele que as crianças pequenas têm dos pais, esses em relação àquelas, e casais em relação um ao outro, que temem fazer qualquer coisa que desagrade, e assim, de alguma forma, macule o amor. *AC 8925*

INFERNO

Desilusão, autocentrismo, falsidade, orgulho, culpa e medo são alguns dos estados que constituem as bases das condições chamadas Inferno.

O amor por si e o amor pelo mundo constituem o Inferno no homem. *AC 7366*

O *proprium* do homem é seu próprio Inferno; pois através de seu *proprium* voluntário comunica-se com o Inferno, e de tal forma que ele deseja nada mais do que se precipitar no Inferno. *AC 1049.*

Inferno é querer estar acima de tudo. *AC 2654*[5]

O desejo do mal e a compreensão da falsidade (...) são o Inferno no homem. *AC 10064*

CÉU

"O reino dos céus é interior". Também o Céu é um estado íntimo – mas quão diferente!

O Céu, isto é, a vida angélica, repousa em tudo que é abençoado e feliz, e também do fato de sua influência ser sentida por meio de coisas íntimas, já que flui do Senhor exatamente por essas coisas íntimas. Ao mesmo tempo, a sabedoria e a inteligência adentram e preenchem os recessos íntimos da mente, agraciando o bem com a chama celestial e a verdade com a luz do Céu. E isso é acompanhado por uma percepção de bênção e felicidade que só pode ser considerada indescritível. *AC 2363²*

Um homem entra no Céu e torna-se uma Igreja, quando está no bem, pois o Senhor flui no bem do homem, e, por meio do bem, em sua verdade. O influxo passa pelo homem interno, onde está o seu Céu, e do interno para o externo, onde está o seu mundo (...) E pelo fato de o Céu estar no homem interno, então, quando este é aberto, o homem está no Céu, pois o Céu não é um lugar, mas uma interioridade no homem. *AC 10367*

Um homem cuja vida moral é espiritual tem o Céu dentro dele; porém, aquele em quem a vida moral é meramente natural não tem o Céu dentro de si; e pela razão de o Céu fluir de cima abrindo o interior do homem, e do interior fluir para o exterior (...) e, ainda, o Céu não é o mesmo em um e em outro. Ele difere em cada um de acordo com sua afeição pelo bem e, assim, pela verdade. *HH 319²*

O Céu é uma comunhão, pois comunica tudo o que tem com cada um, e cada um recebe tudo o que tem dessa comunhão. Um anjo é um receptáculo, e, em virtude disso, um céu em mínima forma (...) um homem, também, à medida que recebe o Céu, também se torna um receptáculo, um céu e um anjo. *HH 73*

Swedenborg nunca se cansa de frisar a potencialidade angelical do homem.

Um homem da Igreja é um anjo em respeito aos interiores que estão em sua mente. *DLW 118*

Um homem no qual está a Igreja, como um anjo, é um céu (...) conseqüentemente, aquele que tem o bem do Senhor é um anjo-homem. Pode ser mencionado o que um homem tem em comum com um anjo e o que ele tem a mais do que os anjos. De comum, ele tem o seu interior que é igualmente formado à imagem do Céu e também que, à medida que permaneça no bem e na fé, torna-se imagem do Céu. Adicionalmente ao que os anjos têm, um homem possui essas coisas, que seu exterior foi formado de acordo com a imagem do mundo, e que, enquanto permanecer no bem, o mundo com ele é subordinado ao Céu e o serve, e que assim o Senhor está presente com ele em ambos os mundos, exatamente como se estivesse em seu Céu. *HH 57*

O Céu do Senhor no mundo natural é chamado Igreja; e um anjo desse Céu é um homem da Igreja que está conjugado ao Senhor; e, depois que ele deixa este mundo, torna-se um anjo do Céu espiritual. *DP 30*

IV

O DIVINO NO HOMEM

Vimos como Swedenborg enfatizou que a natureza do homem deve ser tal que ele tenha o Divino dentro dele constantemente como sua fonte criativa. Que efeito teria isso no homem?

Se Deus não estivesse presente em todas as partes e em todo momento na mente humana, ela se dissolveria como uma bolha no ar, e ambas as divisões do cérebro, nas quais ela atua desde o princípio, derreteriam como espuma. *TCR 30²*

Como o homem foi criado com uma forma de Ordem Divina, Deus está nele; mas, enquanto ele viver de acordo com a Ordem Divina, Deus se apresenta completamente nele. Se, entretanto, não viver de acordo com a Ordem Divina, Deus ainda estará com ele, mas nas regiões mais elevadas de sua alma, concedendo-lhe o poder de entender o que é verdadeiro e desejar o que é bom, isto é, a habilidade de entender e a inclinação pelo amor. Mas, uma vez que o homem viva contrariamente à ordem, ele fecha as regiões inferiores de sua mente ou espírito, e impede Deus de surgir e preencher aquelas regiões inferiores com Sua presença; assim, Deus está nele, mas ele não está em Deus. É uma lei geral do Céu que Deus esteja em todo homem, mau ou bom, mas que esse não esteja em Deus a menos que viva de acordo com a Ordem. *TCR 70*

Com todo anjo, e também com todo homem, há um grau íntimo ou mais elevado ou algo íntimo ou mais elevado no qual o Divino do Senhor mais influi e do qual dispõe as outras coisas interiores que se sucedem de acordo com os graus de ordem dentro deles. Esse grau íntimo ou mais elevado pode ser chamado de entrada do Senhor para o anjo e para o homem, e Seu local de residência neles (...) É por essa razão que o homem vive pela eternidade. Mas aquilo que o Senhor prepara e provê nesse íntimo não flui abertamente para a percepção de nenhum anjo, pois está acima de seu pensamento e transcende sua sabedoria. *HH 39*

> Swedenborg descreve o homem não tendo a vida por si mesmo. Dessa forma, conclui que ele não tem uma personalidade própria de sua propriedade – apenas aparenta tê-la. Apenas Deus tem personalidade própria, sendo Ele uma fonte independente de vida.

Deus é o Eu, o Único e o Primeiro, chamado Ser e existindo por Si mesmo, Fonte de todas as coisas que são e existem (...) Ele também revelou na Palavra que Ele é o Eu Sou ou Ser, o Eu e o Único que está em si mesmo, e, assim, o Princípio e a Fonte de todas as coisas. *TCR 22*

FONTE ÍNTIMA COMO UM SOL

É esse Eu ou Fonte dentro do homem que é algumas vezes descrito hoje como o Divino interior – compartilhado com todos os outros seres (chamado Atman na filosofia hindu). Quando, no mundo espiritual, o olho de alguém se abre, tornando-se consciente do Divino interior, ele surge como um sol no céu espiritual.

Esse Eu, que é o Ser Divino, não está no lugar, mas com aqueles e naqueles que se encontram convenientes para recepcioná-lo (...) mas, como Ele não pode ser recebido por ninguém, já que Ele está n'Ele mesmo, Ele aparece como é em Sua Essência, isto é, como um sol acima dos céus angélicos. *TCR 25*[3,4]

O Senhor é o Sol do Céu angélico, e esse Sol aparece perante os olhos dos anjos quando eles estão em meditação espiritual. A mesma coisa acontece com um homem neste mundo, no qual a Igreja prevalece como visão de seu espírito. *TCR 767*

> Os raios desse Sol espiritual são amor e verdade correspondendo ao calor e à luz dos sóis naturais.

O Sol, que na outra vida dá luz aos anjos e ao Céu universal, é o Senhor, e o fogo ali é Seu Amor Divino, que aquece a vida de todo ser vivo, e a luz ali é a Verdade Divina, que ilumina todos os que a recebem (...) o calor e a luz que emanam do Sol do Céu são, portanto, chamados espirituais, pois têm vida neles. A vida que é percebida nas coisas vivas pelo calor não é aquecida pelo calor do Sol do mundo, mas pelo calor do Sol do Céu. Quando esse calor flui no calor do mundo, produz esse efeito e é sentido no corpo como calor elementar; mas existe nele calor vital, o qual tem origem no amor que é o calor do Sol do Céu. *AC 8812*

A razão pela qual esse Sol aparece flamejante perante os olhos dos anjos é que amor e fogo correspondem um ao outro; pois seus olhos não podem ver nada além de amor, e no lugar dele, já que lhe corresponde (...) o Amor Divino é sentido como fogo pelo espiritual. *DLW 87*

Acima do Céu angélico está um sol que é puro amor, aparentemente flamejante como o Sol do mundo; do calor emanado desse Sol, anjos e homens têm vontade e amor, e da luz, entendimento e sabedoria; e as coisas que pertencem à vida são chamadas espirituais, enquanto aquelas que procedem do Sol do mundo são recipientes de vida e são chamadas naturais; a expansão do centro da vida é denominada Mundo Espiritual que subsiste de seu próprio Sol, e a expansão da natureza é chamada Mundo Natural que subsiste de seu próprio Sol. *CL 380*[11]

> O Amor Divino brilha interiormente com tamanha força que é sempre necessário algum grau de cobertura e proteção.

O Senhor como um sol não flui imediatamente nos céus, mas o ardor de Seu amor é temperado por graus em seu caminho. Esses temperos aparecem como cintos radiantes em torno do Sol. E, adicionalmente, os anjos são velados por uma fina nuvem para prevenir que sejam feridos pelo influxo. *HH 120*

O Senhor, por meio do Sol do mundo espiritual, flui o mesmo calor e a mesma luz nas almas e mentes dos homens. Esse calor, em sua essência, é Seu Amor Divino, e essa luz, na natureza íntima, é Sua Divina Sabedoria; e o Senhor adapta essa luz e esse calor à capacidade e natureza do homem ou anjo receptor. Isso é feito por meio dos ares ou atmosferas espirituais que os conduzem e transmitem. O Divino propriamente dito que circunda o Senhor constitui esse Sol. Ele está distante dos anjos como o Sol do mundo natural está dos homens; pois, de outro modo, eles também seriam consumidos. *TCR 641*[2]

> Swedenborg não quer dizer que o Senhor ou o Divino é aquele Sol, pois aquele Sol é apenas uma aparência ou correspondência do Divino propriamente dito. Assim, ele avisa:

Que todos tenham cuidado de pensar que o Sol do mundo espiritual é Deus. Deus por si só é Homem. A primeira manifestação de Seu Amor e Sabedoria é uma coisa espiritual flamejante que aparece perante os anjos como um sol. Por essa razão, quando o Senhor Se manifesta aos anjos pessoalmente, manifesta-Se como Homem, e isso algumas vezes no Sol e outras fora dele. *DLW 97*

OS DOIS MUNDOS

Os dois sóis, espiritual e natural, são o coração e centro de dois mundos, o do homem interior e o do homem exterior.

Há um homem interno e outro externo; aquele está no mundo espiritual e esse, no mundo natural; assim, o primeiro está na luz do Céu e o segundo, na luz do mundo. *AC 6055*

O homem interno é formado de acordo com a imagem do Céu e o externo, conforme a imagem do mundo, pois aquele é um céu em sua forma mínima, e esse é um mundo em sua forma menor, e assim, um microcosmo. No homem, o mundo espiritual está conjugado com o mundo natural de modo que, com ele, o primeiro flui para o segundo de maneira tão vívida que ele pode perceber, se prestar atenção. *AC 6057*

ILUMINAÇÃO

Conclui-se que toda iluminação do homem em verdade e sabedoria vem do Sol espiritual (ou Eu Superior), que é interior e uma espécie de visão interna.

A iluminação acontece pela luz do Céu que provém do Senhor como o Sol ali (...) quando o entendimento é iluminado por essa luz divina, ele percebe a verdade que é verdade; ele a compreende interiormente, como se a tivesse visto. Essa é a revelação para aqueles que têm afeição pela verdade do bem quando lêem a Palavra. *AC 8780[2]*

A luz do Céu ilumina o entendimento; pois essa luz é a Verdade Divina que procede do Senhor como um sol, e o calor do Céu agracia a vontade, pois o calor é o bem do amor que também procede do Senhor como um sol. Desde que um homem esteja então entre os anjos, o entendimento da verdade e a afeição ao bem lhe são comunicados por eles, isto é, através deles pelo Senhor. *AC 10330[2]*

Aqueles que são iluminados, quando lêem a Palavra, vêem-na de dentro, pois seu interior é aberto e, nessa situação, fica sob a luz do Céu. Essa luz flui e ilumina mesmo o homem inconsciente dela; e esse é o caso, pois essa luz flui nos conhecimentos que estão na memória do homem, e eles são uma luz natural; e, como o homem pensa neles como se lhe fossem próprios, não percebe o influxo; no entanto, de diversas indicações, pode saber que foi iluminado. *AC 10551[2]*

V

A NATUREZA DA MANIFESTAÇÃO DIVINA

O Divino em si é invisível, mas é de Sua natureza criar, manifestando-Se, como faz um artista, por meio do que cria. Assim, paradoxalmente, o Divino pode ser entendido ou "visto" pelas formas criadas. Como, então, podemos reconhecê-lo? A resposta de Swedenborg pode ser encontrada no que ele chamou, em seu período fisiológico inicial, de "Doutrina de Séries, Graus e Correspondências".

CORRESPONDÊNCIA - EFEITO ESPELHO NA NATUREZA

A ciência das correspondências é um dos vislumbres mais desenvolvidos e aplicados por Swedenborg, e é peça central de seu trabalho. Por meio dela, mostra como aparências, qualidades e funções das formas finitas criadas correspondem aos pensamentos, sensações e afeições espirituais do homem, que, em contrapartida, refletem aspectos do Divino.

As coisas do mundo espiritual podem ser vistas como em um espelho daquelas que existem no mundo natural. *HH56*

Freqüentemente, quando estou em jardins observando as árvores, frutas, flores e vegetais, vejo suas correspondências no Céu e converso com aquelas nas quais essas estão, e fui ensinado de onde e o que elas são. *HH 109*

Todas as coisas estão cheias de Deus e todos tomam sua porção dessa completitude. *TCR 364*[3]

> A Doutrina ou Lei de Correspondência (em conjunto com a "Doutrina dos Graus Distintos", a comentar na próxima seção), surgida em seu período filosófico anterior, é um elemento-chave em todo ensinamento de Swedenborg. Entretanto, considerando antes do início de suas experiências espirituais, seu entendimento dessa área era muito genérico e obscuro. Na fase espiritual madura, ele era capaz de especificar e racionalizar muitas correspondências específicas entre níveis diferentes de Realidade – Divina, celestial, psicoespiritual e material.

Em geral, um jardim corresponde ao Céu tanto em inteligência como em sabedoria, de modo que o Céu é chamado de jardim de Deus e paraíso, e pelo homem denominado de paraíso celestial. As árvores, de acordo com suas espécies, correspondem às percepções e cognições do bem e da verdade de onde provêm a inteligência e a sabedoria. *HH 111*

As criaturas vivas da Terra, em geral, correspondem às afeições (...) Em particular, o gado corresponde aos afetos da mente natural; ovelhas e carneiros, às afeições da mente espiritual; enquanto as criaturas aladas, de acordo com suas espécies, correspondem às coisas intelectuais de qualquer mente. *HH 110*

> Essa correspondência é encontrada na função ou no serviço praticado por essa forma particular nos diferentes níveis.

O Universo foi criado e formado de tal forma pelo Divino que os usos podem estar revestidos de maneira a se revelarem nas suas ações ou efeitos, primeiro no Céu e depois no mundo, em graus sucessivos de descida até atingir a natureza. Por isso, é evidente que a correspondência das coisas naturais com as espirituais, ou do mundo com o Céu, dá-se por meio dos usos, e que esses se conjugam. E as formas nas quais os usos estão revestidos são correspondências e meios de conjugação. *HH 112*

> A lei de correspondências aplica-se universalmente a todas as formas criadas, unindo-as a todo instante à forma correspondente ou ao nível superior seguinte do qual receberam sua existência.

Todas as coisas que vêm à existência na natureza, da menor à maior, são correspondências. São correspondências porque o mundo natural, com todas as coisas que lhe pertencem, veio a existir e continua existindo por intermédio do mundo espiritual, e ambos os mundos provêm do Divino. *HH 106*

Entretanto, nem todas as formas criadas são puras ou "boas", já que distorções espirituais infernais, introduzidas pelo homem em seu livre-arbítrio, existem no nível espiritual e dão origem a formas maléficas correspondentes.

Criaturas gentis e úteis [correspondem] a boas afeições; criaturas selvagens e inúteis [correspondem] a afeições maléficas. *HH 110*

As toupeiras e morcegos correspondem àqueles que estão na escuridão, isto é, na falsidade e, assim, no mal. *AC 8932*[4]

> Hoje em dia, perdemos a habilidade instintiva que o homem da Idade do Ouro tinha para perceber instantaneamente o espiritual e o Divino dentro das formas naturais de qualquer ambiente. Mas originalmente, naquele tempo, a humanidade não tinha dificuldade em perceber o mundo espiritual, ou mundo do espírito, que reside nas formas da natureza.

Para os membros da Igreja primitiva, os objetos terrenos e mundanos dos sentidos exteriores eram como nada. Eles não percebiam encanto nesses objetos, apenas nas coisas que significavam e representavam. Conseqüentemente, quando observavam os objetos terrenos, não pensavam neles, mas no que significavam e representavam, o que, para eles, era muito mais proveitoso, pois correspondiam a coisas como elas existiam nos céus, pelas quais eles observavam o próprio Senhor. *AC 1122*

Como eram celestiais e mantinham amizade com anjos, todas as coisas que viam ou percebiam por qualquer dos sentidos representavam a eles coisas espirituais e celestiais que estavam no reino do Senhor; assim, viam de fato as coisas terrenas e mundanas com seus olhos, ou as apreendiam com os outros sentidos, mas delas e por elas procuravam as coisas espirituais e celestiais. *AC 2896*

> Na vida após a morte, o ambiente visto por um anjo ou espírito com seus olhos é um acurado reflexo do estado atual de seu mundo espiritual íntimo.

Como o Divino está dentro dele, um anjo pode reconhecer parte de si no que ele vê a seu redor. No mundo espiritual estão todas as coisas dos três reinos, e, por entre a névoa deles, está o anjo. Ele vê aqueles ao seu redor e também sabe que são sua representação. De fato, quando o seu mais íntimo entendimento é aberto, ele reconhece a si mesmo e vê neles sua imagem, praticamente como se em um espelho. *DLW 63*

GRAUS DISTINTOS

> A correspondência é sempre entre níveis ou ordens diferentes de realidade que Swedenborg enfatiza como "distintamente" diferentes. É impossível progredir gradualmente de um nível para outro como em graus contínuos de temperatura ou peso. Por exemplo, não é a quantidade de aprendizado que fará alguém mais inteligente ou sábio, e não é a quantidade de percepção espiritual que o tornará mais espiritualizado. E ainda, apesar de sua distinção

absoluta, formas em níveis superiores existem dentro das correspondentes em níveis inferiores, como sua causa ou origem.

O conhecimento dos graus é como uma chave para abrir as causas das coisas e até para entrar nelas. Sem esse conhecimento, muito pouco das causas pode ser percebido. Pois, sem ele, os objetos e indivíduos de ambos os mundos parecem muito simples como se não tivessem neles além daquilo que pode ser visto pelo olho, mesmo quando as coisas que aparecem são como um em milhares ou mesmo em miríades, se percebidas as coisas ocultas internas. Os interiores que não se apresentam abertos não podem ser revelados a não ser pelo conhecimento dos graus. Pois coisas exteriores vão para as interiores e, por essas, para coisas íntimas por meio dos graus, não contínuos, mas distintos (...) esses graus são chamados distintos, porque o anterior é por si mesmo, assim como o posterior e o final são por eles mesmos, mas, se vistos em conjunto, perfazem um único. *DLW 184*

A importância dessa consciência dos níveis espirituais para Swedenborg pode ser vista neste parágrafo seguinte:

Sem conhecimento desses graus, nada se pode saber a respeito da diferença entre os três céus, nem sobre a divergência entre amor e sabedoria dos anjos lá, nem entre o calor e a luz na qual estão, nem a respeito da diferença entre as atmosferas que os cercam e os contêm. Ainda, sem conhecimento desses graus, nada se pode saber a respeito das diferenças entre as faculdades interiores pertencentes às mentes dos homens (veja Apêndice: "Graus Distintos no Homem"), e, assim, nada a respeito de seu estado de reforma ou regeneração, nem as diferenças das faculdades exteriores pertencentes ao corpo, no caso dos anjos e também dos homens. E, certamente, nada se pode saber sobre a distinção entre o espiritual e o natural, e, assim, nada a respeito de correspondência. De fato, nada se pode saber de qualquer diferença da vida dos homens e das bestas, nem diferença entre as bestas mais e menos perfeitas, nem ainda a respeito da diferença entre formas do reino vegetal e matérias do reino mineral. Disso, pode-se estabelecer que aqueles que não têm conhecimento desses graus não podem ver as causas em hipótese alguma. Eles só vêem efeitos e julgam as causas do que enxergam, e isso é feito freqüentemente por indução, que é contínua com os efeitos, quando as causas produzem efeitos não contínua, mas distintamente. *DLW 185*

O HOMEM COMO MICROCOSMO E O HUMANO UNIVERSAL (GRANDE HOMEM)

O homem contém dentro dele, potencialmente, tudo do Céu e do Inferno – especificamente, todo o mundo espiritual. A forma exterior que chamamos corpo físico é um pequeno mundo, correspondente e reflexo de seu mundo interior maior.

O homem interior é formado de acordo com a imagem do Céu e o homem exterior, conforme a imagem do mundo, pois aquele é um céu de tamanho pequeno, e esse é um mundo em tamanho pequeno, e, assim, um microcosmo. *AC 6057*

O homem foi chamado pelos antigos de microcosmo pelo fato de representar o macrocosmo que é o Universo em toda a sua complexidade. Os antigos chamavam o homem de microcosmo, ou pequeno Universo, e tiraram isso do conhecimento das correspondências nas quais os povos mais antigos estavam e da comunicação com os anjos do Céu. *DLW 319*

A região mais elevada ou espiritual da mente humana também é um céu em miniatura, e o local mais baixo ou natural é um mundo em miniatura. Essa é a razão pela qual o homem era chamado pelos antigos de microcosmo, ou pequeno mundo; ele pode ser chamado também um micro-uranus, ou pequeno Céu. *TCR 604*

> O mundo celestial interior do homem, no qual ele só pode entrar parcialmente, é o Todo maior que Swedenborg chama "Grande Homem". Já que essa Grande Forma não tem espaço e tempo, Ela é universal e, assim, pode ser chamada o Humano Universal. É de fato o Humano Divino (veja Capítulo 2) ou Corpo Divino do qual o homem é parte integral.

A ESCRITURA SAGRADA COMO A PALAVRA

Aspectos da Divindade manifestam-se visivelmente pelas formas criadas. Mas, por meio das profecias e dos escritos das escrituras sagradas (a Palavra), o Divino também se manifesta verbalmente. Deus adapta o modo de revelação às condições espirituais gerais da humanidade na época.

Ouvi do Céu que, com o povo mais antigo desta terra, houve revelação imediata, e portanto não tinham Palavra escrita; mas, depois de sua época, quando a revelação imediata nem podia ser dada nem recebida sem perigo para suas almas (...) o Senhor resolveu revelar a Verdade Divina pela Palavra que era escrita exclusivamente pelas correspondências; que compreendia a sabedoria dos anjos dos três céus. Essa sabedoria não aparece em nossa Palavra, mesmo estando lá, mas, como se encontra lá, será revelada brevemente.

Há três céus, um abaixo do outro, e, sob eles, o mundo. No Céu superior, a sabedoria angélica está em seu mais alto grau, que é chamada sabedoria celestial; no Céu intermediário, está a sabedoria angélica em grau mediano, que é chamada sabedoria espiritual; mas, no Céu inferior, a sabedoria angélica está em seu grau menor e é chamada espiritual-celestial-natural. No mundo, que está abaixo dos céus, está a sabedoria em seu menor grau e é chamada natural. Todos esses graus estão na Palavra que está no mundo, mas em ordem simultânea, pois a ordem sucessiva de sua descida gera a simultaneidade. Tal simultaneidade é a Palavra no mundo; em seu íntimo, é o Senhor como um Sol, de quem descende e irradia a Verdade e o Bem Divinos, luz e fogo. A seguir, nessa simultaneidade, está o celestial como no Céu mais elevado ou terceiro, do qual os anjos ali recebem sabedoria. Depois, se segue o natural espiritual Divino, e o natural celestial, como no último ou primeiro Céu, do qual os anjos recebem sabedoria. A derradeira circunferência dessa simultaneidade constitui o natural Divino, como no mundo, do qual os homens recebem a sabedoria. Esse final envolve e junta-se contendo os interiores, para que debandem; e, assim, serve também como apoio. Assim é nossa Palavra no sentido literal, em geral e em todas as partes. *DV 27*

O Senhor sempre provê de Sua Divindade que, entre as raças humanas, sempre exista uma Igreja na qual seja revelada a verdade divina; o que em nossa terra é a Palavra; por meio dessa, há uma conexão contínua entre a raça humana e os céus. Considerando que em cada simples porção da Palavra há um sentido interno, que provém do Céu; e que é circunstanciado de tal maneira a conjugar as mentes angélicas com as humanas com laços tão íntimos que agem como se fossem uma. *AC 9216*[3]

> Como Swedenborg encontrou essa Palavra dentro da maior parte da Bíblia, ele também considerou um primeiro registro mais universal, que, perdido em sua forma original, chamou de Palavra Ancestral.

Havia uma Palavra com os antigos, escrita, como nossa Palavra, apenas por correspondências, mas que foi perdida, como me disseram os anjos do terceiro Céu. Disseram também que essa Palavra se encontra preservada com eles, é usada entre os antigos naquele Céu, da mesma forma como quando estavam no mundo. Esses antigos entre os quais a Palavra ainda está em uso nos céus são em parte de Canaã e seus vizinhos, e também de certos reinos na Ásia, Síria, Mesopotâmia, Arábia, Caldéia, Assíria, no Egito, em Tiro e Sidon (...) Aquela palavra estava cheia de correspondências que significavam remotamente as coisas celestiais, e, por essa razão, com o passar do tempo, começou a ser falsificada por muitos, e assim, graças à Divina Providência do Senhor, gradativamente morreu. Outra Palavra foi dada e escrita com correspondências menos remotas, pelos profetas entre os filhos de Israel. Nessa Palavra, apesar de os nomes de lugares de Canaã e da Ásia terem sido mudados, retiveram e mantiveram seu significado. *DV 36*

As religiões de muitas nações derivaram dessa Antiga Palavra e foram disseminadas por outros lugares, como da terra de Canaã e da Ásia para a Grécia e depois para a Itália, e pela Etiópia e Egito para certos reinos da África. Entretanto, na Grécia, fizeram fábulas das correspondências e dos atributos divinos de vários deuses, o maior dos quais eles chamaram Jove, de Jeová. *DV 38*

Fui informado que os primeiros sete capítulos do Gênesis sobrevivem da Palavra Ancestral, e que nem a menor palavra foi modificada. *DSS 103*

> De fato, foi pela meditação na Palavra (a Bíblia) que Swedenborg afirmou ter recebido toda a sua iluminação espiritual, considerando que o conhecimento espiritual veio a ele por meio de coisas que ouviu e viu no mundo espiritual.

Eu mantenho conversações com espíritos e anjos há muitos anos; e nenhum espírito ousou nem nenhum anjo quis dizer-me qualquer coisa, ainda menos instruir-me a respeito do que está na Palavra ou qualquer assunto doutrinário oriundo dela. Só fui ensinado pelo Senhor, que se revelou a mim e, depois disso, apareceu constantemente ante meus olhos como o Sol no qual Ele está; e ele se apresenta como aos anjos, e me iluminou. *DP 135*

O Senhor guia aqueles que amam e querem as verdades d'Ele. Esses são iluminados quando lêem a Palavra, pois o Senhor está presente nela e fala com todos de acordo com a capacidade de cada um. Se esses escutam a fala dos espíritos, como às vezes é o caso, não são ensinados por eles, mas são levados de tal forma providencial que o homem ainda se mantém livre com ele mesmo. *AE 1183*

Como comigo, não me permitiram tomar nada da boca de qualquer espírito nem da de qualquer anjo, mas apenas da do Senhor. *DV 29*

> Com isso, ele quer dizer que não tomou nada em confiança de anjos ou espíritos, mas só confiou em seu Mestre Interno, o Senhor.
> A Palavra escrita como manifestação Divina está genérica e necessariamente escrita em correspondências verbais, as quais formam as bases de sua genuína importância e sentido espiritual.

Uma vez que a Palavra é interiormente espiritual e celestial, é escrita, portanto, por meio de puras correspondências; e o que é assim escrito é feito em tal estilo como aquele visto nos profetas e evangelistas que, apesar de parecerem comuns, estão cheios de sabedoria divina e angélica. *DSS 8*

As correspondências pelas quais todas as coisas da Palavra foram escritas possuem tamanha força e poder que podemos confundi-las com a força e o poder da onipotência divina; pois, por essas correspondências, o natural age conjuntamente com o espiritual e o espiritual, com o natural, e, assim, tudo do Céu com tudo da Terra. *Inv 45*

> Há três níveis distintos de entendimento ou percepção da verdade na Palavra.

Pelo motivo de haver uma trindade em todo particular do Mundo, um dentro do outro, e essa trindade ser como efeito, causa e fim, segue-se que há três sentidos no Mundo, um dentro do outro – um natural, um espiritual e um celestial; um natural para o mundo, um espiritual para os céus e para o reino espiritual do Senhor, e um celestial para os céus de Seu reino celestial. *AE 1083*[2]

A Palavra corretamente usada é um meio poderoso para unir os diferentes níveis do espírito.

Quando a Palavra é lida na Terra, os anjos do Céu são afetados pela santidade que está no sentido interior. Isso acontece por meio das correspondências das simples coisas naquele lugar. *AC 8615³*

Como é da criação que o fim, a causa e o efeito sejam um, também assim é da criação que os céus devam ser um com a Igreja na Terra, pela Palavra, enquanto for lida pelo homem por amor à verdade e ao bem. Pois esse é o fim para o qual a palavra foi dada pelo Senhor, para que haja conjunção perpétua dos anjos no Céu com os homens na terra; e que seja eterna também a comunicação de acordo com a conjunção (...) A conjunção e comunicação são instantâneas. A razão para isso é que todas as coisas da Palavra em seu sentido literal são como efeitos, nos quais a causa e o fim estão juntos; e os efeitos, que estão na Palavra, são chamados usos; as causas, a partir daí, verdades; e os fins, bens. E o Amor Divino, que é o Senhor, une esses três no homem que está na afeição dos usos da Palavra. *AE 1084²*

O maior dos poderes reside nas correspondências (...) pois nelas o Céu e o mundo, ou o espiritual e o natural, estão juntos (...) assim, pela Palavra, há conjunção do homem com o Céu e, portanto, com o Senhor. *Inv 59*

MANIFESTAÇÃO DIVINA NA FORMA DE UMA PESSOA

O Divino é visto pelos anjos como um Sol no céu. Entretanto, Ele manifesta-Se freqüentemente em uma forma pessoal como um anjo.

Quando, entretanto, o Senhor aparece no Céu, o que acontece freqüentemente, aparece circundado por um sol, mas em forma angélica, ainda que distinto dos anjos pelo brilho divino de Sua face (...) Eu também vi o Senhor no alto, fora do Sol, em uma forma angélica um pouco abaixo do Sol, também em uma forma similar com face brilhante, também na névoa dos anjos como um brilho flamejante. *HH 121*

Quando o Senhor aparece em qualquer sociedade, apresenta-se como um anjo, mas Ele é distinguido dos outros pela Divindade que brilha através d'Ele. *HH 55*

O Senhor aparece em uma forma angélica divina que é humana para aqueles que conhecem e acreditam em um Divino visível, mas não para os que crêem em um invisível. *HH 79*

Entretanto, não há nada de definitivo ou fixo a respeito de como o Senhor aparece.

O Senhor aparece a todos de acordo com a qualidade daquele que recebe. *AC 3235*

Antes da vinda de Jesus Cristo, a maneira pela qual Deus se manifestava ao homem na Terra era em alguma forma angélica.

Quando Jeová apareceu antes da vinda do Senhor ao mundo, Ele o fez na forma de um anjo; pois quando Ele passou pelo Céu, vestiu-Se com essa forma, que é humana. Pois todo o Céu, em virtude do Divino ali, é como um homem. *AC 10579*[4]

ENCARNAÇÃO DIVINA

A manifestação divina por intermédio de formas angélicas só serve a seus propósitos enquanto o homem puder beneficiar-se dessas visões. Mas, quando a humanidade como um todo cai em um estado de escuridão espiritual, como aconteceu 2 mil anos atrás, torna-se necessário que o próprio Deus alcance o homem de forma mais direta.

Ele assumiu a essência humana fazendo-se nascer. Ele fez isso para que o Divino infinito pudesse ser agradável ao homem, apesar de esse ser tão primitivo. *AC 1990*[3]

Isso teve de acontecer de acordo com a ordem que é a marca do Amor e da Sabedoria divinos. Para que Deus continuasse a atingir o homem, Ele teve de contatá-lo e até mesmo experimentar as causas da sua fraqueza. Assim, o nascimento por uma mãe humana foi necessário para fortalecer a "fraqueza humana".

Que se diga simplesmente que Ele era como qualquer outro ser humano, exceto que Ele tinha sido concebido por Jeová, e nascido de uma mulher que era virgem, e que, pelo nascimento daquela virgem, Ele assumiu toda a fraqueza que era comum a todos... *AC 1414*

Mas, com Deus como Pai, essa criança no nível da alma era o próprio Divino, diferentemente dos filhos de pais humanos.

O Ser do Senhor, e conseqüentemente a Sua vida íntima, era Divino, já que era o próprio Jeová; e as roupagens ou exteriores compunham o humano que tomou de sua mãe pelo nascimento. Esse humano era tal que podia ser tentado, pois estava poluído com a hereditariedade maligna da mãe; mas, por causa de seu íntimo ser Divino, Ele era capaz de, por Seu próprio poder, eliminar essa hereditariedade maligna da mãe. *AC 5041*

Uma vez tendo Deus chegado, e já que Ele é Ordem, era necessário que se tornasse humano, que fosse concebido, carregado no ventre e nascesse; e que fosse educado, adquirindo o conhecimento com o qual pudesse atingir a inteligência e a sabedoria. Assim, para Sua humanidade, Ele foi um menino como qualquer outro, um jovem como qualquer outro, e assim por diante; mas com a diferença de ter passado por esses estados progressivos mais cedo, mais completa e perfeitamente do que os outros. *TCR 89*

Para alguns, pode ser surpreendente dizer que a hereditariedade maligna de sua mãe estava presente no Senhor (...) o Senhor nasceu, nesse sentido, como qualquer outro e era dotado de fraquezas como qualquer outro também. Ele ter sofrido tentações deixa claro que havia herdado hereditariamente o mal de sua mãe. Ninguém que não tenha o mal poderia ser tentado, pois é o mal presente com um homem que o tenta, e por meio do qual ele é tentado. Também está claro que o Senhor foi tentado, uma tentação tão séria que nenhum outro resistiria a um centésimo dela; que Ele sofreu tudo sozinho, e por seu próprio poder derrotou o mal, ou o demônio e todo o Inferno (...) que o Senhor assumiu as iniquidades e males da raça humana é também uma afirmação comumente apresentada por pregadores, e o redirecionamento das iniquidades e dos males para Si mesmo nunca teria acontecido se não houvesse um canal hereditário. O Divino não poderia tomar o mal para Si, e assim, para que pudesse derrotar o mal por seus próprios poderes – que nenhum ser humano nunca foi capaz de fazer – e fazendo isso tornar-se o único justo, Ele quis nascer como qualquer outro. Se assim não fosse, não haveria necessidade de que Ele nascesse, pois o Senhor poderia assumir a essência humana sem passar pelo processo de nascimento, como de fato tinha feito algumas vezes, como quando foi visto pelos membros da Igreja mais antiga, e também pelos profetas. Assim, para que pudesse ser dotado com o mal, contra o qual teria de lutar e sobre o qual venceria, Ele veio ao mundo e conjugou n'Ele a essência divina à natureza humana. Entretanto, no Senhor, não há mal d'Ele mesmo, isto é, Ele não cometeu mal algum. *AC 1573*[3, 4, 7, 8]

> Uma batalha real se processa dentro da mente de Jesus, à medida que Ele cresce da infância e da juventude até entrar na missão de Sua vida. Sua consciência espiritual interior (o Humano Divino perfeito) revela a Ele a verdadeira natureza de Sua situação e Seu propósito de vida. Por outro lado, Sua mente natural (sujeita às ilusões do *proprium* e próxima a seus sentidos físicos) elimina todos os tipos de dúvida nessas percepções interiores. Dentro da mente de Jesus, Deus e o "Diabo" (isto é, o Inferno personificado ou *proprium*) lutam por supremacia: rejeitar um é unir-se com o outro.

Toda tentação é um ataque contra o amor presente em uma pessoa, e o grau de tentação depende do grau desse amor. Se o amor não for atacado, não há tentação. Destruir o amor de outra pessoa é aniquilar sua vida, pois vida é amor. A vida do Senhor era amor a toda a raça humana; de fato, era tão grande e de tal natureza que não era nada além de puro amor. Contra essa Sua vida, eram dirigidas tentações constantes, e isso acontecia (...) desde a tenra infância até Sua última hora no mundo (...) Os infernos foram constantemente derrotados, subjugados e vencidos por Ele; e isso Ele fez apenas por Seu amor à toda a raça humana. Porque esse amor não era humano, mas divino, e porque a intensidade do amor determina aquela das tentações, torna-se claro quão severos foram Seus conflitos, e, por parte dos infernos, quão ferozes elas foram. *AC 1690*[3, 6]

Testar ou combater a tentação é uma situação de livre escolha na alma do homem – entre o Céu e o Inferno interiores. A rejeição de um é a união com o outro. Assim, Jesus, ao escolher a realidade de Seu ser elevado, rejeitou as aparências falaciosas e os estados negativos de Sua mente natural, subordinando seus pensamentos e sentimentos aos mais elevados.

A esse processo, por meio do qual a mente natural de Jesus uniu-se à mente Humana Divina interior, Swedenborg chama glorificação ou "fazer o humano Divino no Senhor".

É bem sabido da Palavra, nos Evangelhos, que o Senhor adorava e rezava a Jeová, Seu Pai, e que Ele assim fazia como dirigindo-se a outro que não Ele próprio, mesmo que Jeová estivesse n'Ele. Mas o estado experimentado pelo Senhor nesses momentos era o de Sua humilhação (...) [quando] estava na condição humana derivada da mãe. Mas, depois, Ele eliminava essa situação e assumia o Divino tomando um estado diferente, ao qual chamava de Sua glorificação. No primeiro estado, Ele adorava Jeová como alguém outro que não Ele, mesmo que Jeová estivesse n'Ele, pois, como já foi afirmado, Seu interior era Jeová. Entretanto, no estado seguinte, isto é, no de glorificação, Ele falava a Jeová como a Si mesmo, já que era o próprio Jeová. *AC 1999²*

Com relação à vida do Senhor, era uma vida na qual o humano estava constantemente avançando em direção ao Divino, buscando completar a união. *AC 2523²*

Ao fim de Sua vida, quando estava glorificado, o Senhor gradual e constantemente Se separava e eliminava aquilo que era meramente humano. Quer dizer, Ele suprimia o que recebera da mãe, até que finalmente não era mais seu filho, mas o Filho de Deus, não apenas em concepção, mas também em nascimento, e assim era um com o Pai e era o próprio Jeová. *AC 2649²*

O Senhor também transparecia a verdade quando no humano materno, mas isso, conforme eliminou esse humano, também exterminou essa aparência e assumiu o Divino Infinito e Eterno. *AC 3405*

O Senhor, quando glorificava Seu humano, eliminava tudo o que derivava da mãe e assumia tudo o que pertencia ao Pai. *TCR 94*

O Senhor escolheu nascer (...) dentro de uma Igreja que, por conta do amor por si e pelo mundo, naufragara completamente em um *proprium* infernal e demoníaco. Ele fez isso para que de Seu próprio poder Divino pudesse, por meio de Sua essência humana, unir o *proprium* celestial divino ao *proprium* humano, de tal forma que se tornassem um dentro d'Ele. *AC 256*

Assim, estava cumprido o que havia sido previsto e profetizado desde os primórdios da humanidade.

A Igreja mais antiga (...) adorava a Manifestação Infinita, na qual está o Ser Infinito, que percebiam como um Homem Divino, pois sabiam que a Manifestação Infinita veio através do Céu do Infinito ao Ser (...) Quando essa Igreja celestial começou a cair, eles previram que a Manifestação Infinita não podia mais enviar influxos às mentes dos homens, e que assim a raça humana pereceria; assim, foi-lhes revelado que Um nasceria e tomaria o humano em Seu Divino, e, dessa forma, tornar-se-ia a mesma Manifestação Infinita que fora antes, e tornar-se-ia finalmente Um com o Infinito, como um Ser que tinha sido antes. *AC 4687*[2]

> Apenas pelo Humano Divino o homem pode chegar perto de Deus, e isso se tornou visível ao homem de maneira mais direta e poderosa por meio do Senhor, ao fazer Divino Seu humano.

Para que o homem não procurasse contato imediato com o Pai, que é invisível e conseqüentemente inacessível e com quem não pode haver conjunção, Ele veio ao mundo e fez-Se visível, acessível e capaz de conjugar-Se com o homem; apenas dessa forma o homem pôde ser salvo. Pois, a menos que Deus se aproxime em pensamento ao homem, toda idéia de Deus é perdida, sendo como uma visão dirigida ao Universo vazio, à natureza ou a alguma coisa visível na natureza. *TCR 538*

A Nova Igreja venerará um Deus visível no qual está o Deus invisível, como a alma está no corpo. Só assim pode haver conjunção de Deus com o homem, pois esse é natural e conseqüentemente pensa naturalmente (...) pois toda conjunção de Deus com o homem precisa ser recíproca do homem com Deus; e reciprocidade por parte do homem só é possível com um Deus visível. *TCR 787*

> Porque o Senhor, ficando onde o homem está, alinhou a vida da mente natural (percebida pelos sentidos) com a vida da mente espiritual (na realidade do Céu e do Divino), Ele tornou-se capaz de repetir esse processo em qualquer um que deseje ser ajudado pelo Humano Divino interior, tornando-Se assim o que pode ser agora chamado o "Redentor Divino".

Como o Senhor livrou o homem desses males fazendo Divino o Seu humano, então Seu Humano Divino é chamado na Palavra de "Redentor". *AC 6281*

Nos combates ou tentações dos homens, o Senhor providencia uma redenção particular, como trabalhou por uma redenção geral quando no mundo. Por Seus combates e tentações no mundo, o Senhor glorificou Seu humano, isto é, fê-lo Divino. Similarmente, até hoje, com todos os indivíduos durante suas tentações, Ele luta por eles e derrota os espíritos infernais que os infestam, e, depois da tentação, glorifica-os, isto é, faz deles espirituais. *TCR 599*

O Senhor veio ao mundo para glorificar Seu humano porque, dessa forma, tornar-se-ia o Redentor, Regenerador e Salvador para sempre. Por isso, não se deve supor que, pela redenção uma vez conseguida no mundo, todos já foram redimidos; mas que Ele continuamente redime aqueles que acreditam n'Ele e obedecem a Seus mandamentos. *TCR 579*[3]

... VI ...

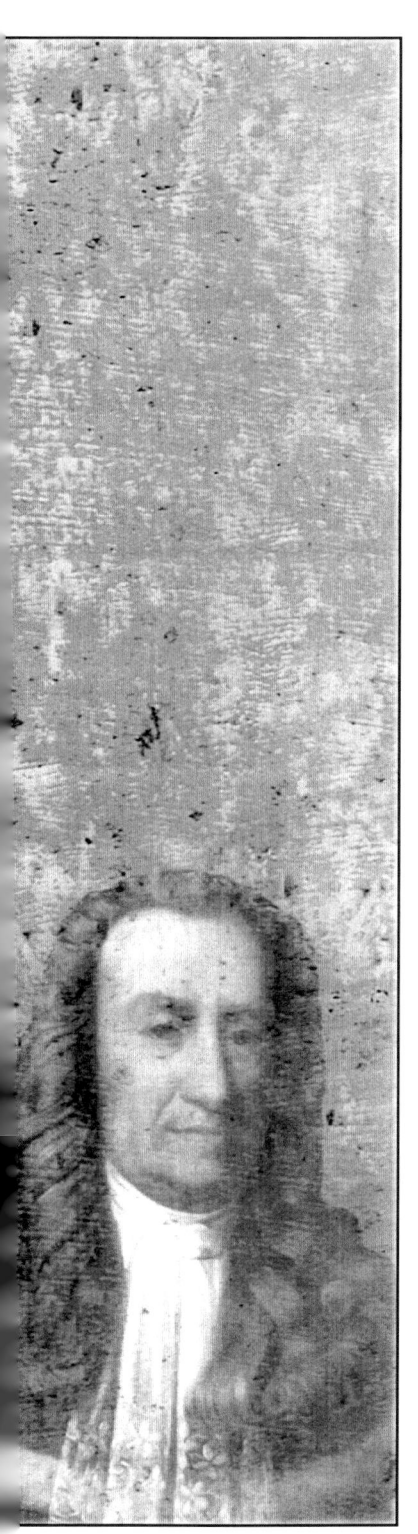

A DIVINA PROVIDÊNCIA

O objetivo da Divina Providência é reunir o homem, livremente, com sua Fonte Divina, o que Swedenborg denominou "conjunção com o Senhor". A Divina Providência governa tudo com esse propósito.

É o empenho contínuo da Divina Providência do Senhor unir o homem a Ele mesmo e Ele mesmo ao homem, para que Ele seja capaz de conceder-lhe a felicidade e a vida eterna. *DP 123*

O fim da criação é um céu angélico além da raça humana. *DLW 330*

> Para alcançar isso, Deus precisa permitir uma aparente separação para preservar o livre-arbítrio do homem.

A única coisa que torna o homem um homem, e por meio da qual ele se conjuga ao Senhor, é o fato de ser capaz de fazer o que é bom e acreditar na verdade como se fosse dele, isto é, como se de sua própria vontade, de acordo com seu próprio julgamento. Se essa única coisa for tirada do homem, tudo o que unia o homem ao Senhor e o Senhor ao homem também é tirado, pois isso é a reciprocidade do amor, que o Senhor dá a todos que nasceram como homens e também preserva com eles até o fim de sua vida e, depois, na eternidade. *AR 541*[2]

NADA É POR ACASO

Para conseguir esse objetivo, a Providência Divina não governa apenas as coisas gerais da vida do homem e a vida em geral, mas até os mínimos detalhes imagináveis.

É completa falsidade – uma ficção da imaginação, como é chamada – falar que a Providência do Senhor pertence ao universal, mas não aos singulares específicos; pois prover e governar universalmente, mas não especificamente, é prover e governar absolutamente nada. *AC 1919*[4]

O homem nunca pode ser regenerado a ponto de ser chamado perfeito; pois há coisas inumeráveis, não somente ilimitáveis, para ser regeneradas tanto no racional como no natural, e qualquer uma delas tem um número ilimitado de aspectos, isto é, progressões e derivações de coisas interiores e exteriores. O homem não tem consciência disso; mas o Senhor sabe cada uma e todas as coisas, e as provê a todo momento. Se Ele parasse, mesmo que por um instante, todas as progressões se confundiriam, pois o que antecede observa o que se segue em uma série contínua e produz séries de conseqüências até a eternidade. Disso, conclui-se que a Visão e a Providência Divina estão em cada pequeno particular; e que, se assim não fosse, ou se a Providência fosse apenas universal, a raça humana pereceria. *AC 5122*[3]

A Providência do Senhor está nas mínimas coisas, do primeiro instante da vida do homem até o último, e, depois disso, pela eternidade. *AC 5894*

Todas as coisas, de fato, desde a menor, a mais minúscula das minúsculas, são dirigidas pela Providência do Senhor, mesmo porque em todas as fases (...) não há acaso, acidente aparente ou sorte, pois a Providência é a base da ordem. *AC 6493*

Certa vez, joguei um jogo de sorte com dados, e os espíritos que estavam comigo falaram-me a respeito da sorte nos jogos, e disseram que o afortunado apresenta-se a eles como uma nuvem brilhante, e o que é infortunado, por uma nuvem escura; e que quando uma nuvem escura aparece comigo é-me impossível ganhar; além disso, por esse sinal, eles previram para mim as oscilações da sorte naquele jogo. Disso, pude entender que aquilo atribuído à sorte, mesmo em jogos, vem do mundo espiritual; muito mais aquelas que ocorrem ao homem na vida em relação às suas vicissitudes; e que o que é chamado sorte provém do influxo da Providência como ordem definitiva, quando tem de se manifestar; assim, a Providência está nas mais singulares de todas as coisas, de acordo com as palavras do Senhor, de que nem um simples fio de cabelo cai da cabeça sem conhecimento de Deus. *AC 6494*

Entretanto, esse controle nunca invade a liberdade de escolha íntima do homem – pois, se assim fosse, o grande propósito da criação seria perdido.

A Providência do Senhor é uma orientação de como a coisa deveria ser, e uma inclinação da liberdade pessoal para o bem como Ele prevê que aquela pessoa livremente se inclinará nessa direção. *AC 3869³*

> Assim, a Providência precisa trabalhar de forma invisível.

A Providência Divina trabalha invisível e incompreensivelmente para que o homem tenha liberdade de relacionar um evento tanto à Providência quanto à sorte; pois, se a Providência agisse visível e compreensivelmente, poria em risco as crenças do homem, de que o que ele vê e compreende deve-se à Providência, levando isso a outro extremo. *AC 5508²*

> Ainda, o efeito de alguém viver em harmonia com a Providência é muito marcante.

Deve-se saber que a Divina Providência é universal, isto é, nos mínimos detalhes; e que aqueles que estão na corrente da Providência sempre são carregados em direção à felicidade, qualquer que seja a aparência dos meios; e que eles confiam no Divino e atribuem todas as coisas a Ele; e que aqueles que só têm fé neles e se atribuem todas as coisas não estão na corrente da Providência, mas na oposta, já que tiram a Providência do Divino e reclamam-na para si mesmos. Também se deve saber que, quanto mais longe alguém estiver da corrente da Providência, mais distante estará da paz; também que, quanto mais longe alguém estiver da paz, mais distante estará da Divina Providência. *AC 8478⁴*

> A Providência está sempre voltada para os maiores objetivos da vida eterna do homem. Freqüentemente, observamos, nos retrospectos, que os traumas em nossas vidas podem ser vistos como pontos de crescimento para um desenvolvimento mais completo.

A Providência Divina difere de todas as outras lideranças e supervisões pelo fato de estar sempre voltada para o que é eterno, e continuamente leva à salvação, e isso por meio de vários estágios; algumas vezes alegres, outras tristes, os quais o homem não consegue compreender; mas, assim mesmo, todos eles conduzem à vida eterna. *AC 8560*

O Senhor provê o bem a quem recebe Sua misericórdia a tempo, coisas que conduzem à felicidade de suas vidas eternas – riquezas e honras a quem elas não são prejudiciais; e nenhuma riqueza ou honra para os que sejam danosas. Apesar disso, a esses, Ele dá mais tarde algumas coisas para alegrarem-se e, assim, ficarem mais satisfeitos do que os ricos e honrados. *AC 8717³*

O que dura até a eternidade *é*; mas o que tem fim *não é*. Àquele que *é*, o Divino provê; mas não ao que *não é*, exceto se for para beneficiar aquele que *é*; pois Jeová, que é o próprio Divino, *é*, e o que vem d'Ele também *é*. Fica, portanto, evidente qual é a qualidade do que é dado e provido ao homem pelo Divino, e qual é a qualidade do que o homem procura para si. *AC 10409³*

A ORDEM DIVINA E AS LEIS DA PROVIDÊNCIA

Existe uma ordem subjacente na criação mantida por leis universais em todos os níveis. Todas essas leis derivam de aspectos do Amor e da Sabedoria Divinos de acordo com os quais a Divina Providência opera para alcançar o objetivo do Amor Divino. Assim, é contra a Natureza Divina desviar-se, mesmo que pouco, da lei universal do Amor.

Os meios pelos quais o homem é levado pelo Senhor são chamados de leis da Divina Providência. *DP 221*

A Divina Providência é primariamente a Ordem Divina em relação à salvação dos homens; não há ordem sem leis; como o Senhor é Sua própria Providência, Ele é também a Sua lei. Por isso, é claro que o Senhor não pode agir contrariamente às leis de Sua Divina Providência, pois seria agir contra Ele mesmo. *DP 331*

O Amor Divino quer salvar todos, mas só pode fazê-lo pela Sabedoria Divina, e a essa pertencem todas as leis pelas quais ocorre a salvação. O amor não pode transcender essas leis, já que o Amor e a Sabedoria Divinos são um e agem em união. *DLW 37*

Não há maneira fixa de expressar essas leis, já que a forma como a Lei do Amor é vista operando pelas mentes finitas pode ser percebida de maneiras diferentes. O resumo mais sucinto de Swedenborg das principais leis da Providência é apresentado a seguir.

1. É uma lei da Divina Providência que o homem deva agir livremente de acordo com sua razão.
2. É uma lei da Divina Providência que o homem remova de si o mal e os pecados do homem exterior; e assim, e não de outra forma, o Senhor poderá remover o mal do homem interior e, depois, ao mesmo tempo, do exterior.
3. É uma lei da Divina Providência que o homem não seja compelido a pensar e querer por meios exteriores, e assim acreditar e amar as coisas da religião; mas deve persuadir-se e compelir-se a proceder dessa forma.
4. É uma lei da Divina Providência que o homem seja levado e ensinado pelo Senhor do Céu por meio da Palavra, da doutrina e da pregação da Palavra, e isso como se fosse por ele mesmo.
5. É uma lei da Divina Providência que o homem não perceba e sinta qualquer coisa da operação da Divina Providência, mas que a conheça e a reconheça.
6. Males são permitidos para um fim determinado, que é a salvação. *DP 71 100 129 154 175 234*

PERMISSÃO DO MAL

Dessas leis, fica claro que, para atingir o derradeiro propósito de unir o homem a Si mesmo em amor e liberdade, o Amor Divino em sua Sabedoria deu ao homem a permissão de escolher seu próprio "bem". É inerente a essa dádiva a possibilidade de o homem fazer escolhas baseado em crenças nas aparências externas e em uma preocupação por si mesmo apenas, o que, segundo a lei de causa e efeito, tende a resultados maléficos. Apesar de o mal do homem ter permissão de levá-lo aos confins da terra, o propósito divino de que retorne em liberdade ao Pai está sempre presente. Falando sobre o casamento celestial, sobre o qual mais será dito adiante, Swedenborg diz:

O casamento celestial é aquele no qual o Céu, e assim a Igreja, é unido ao Senhor por meio do *proprium*, pois, se não existe *proprium,* não há união. E quando o Senhor em Sua misericórdia instila no *proprium* inocência, paz e bem, ele ainda se parece com o *proprium*, mas agora é algo celestial e ricamente abençoado. *AC 252*

Portanto, Deus permite que o homem herde de seus antepassados uma tendência para o mal que Swedenborg descreve assim:

O mal hereditário (...) consiste em querer e, conseqüentemente, pensar no mal; o mal hereditário está no querer e, portanto, no pensamento; é a grande tendência que se apresenta e que prevalece mesmo quando o homem pratica o bem. Sabe-se pela satisfação que é sentida quando o mal acomete outro. Essa raiz permanece profundamente escondida; pois a forma interior que recebe o bem e a verdade do Céu, isto é, do Céu através do Senhor, é (...) distorcida; de tal forma que o bem e a verdade que fluem do Senhor são desprezados, ou pervertidos ou sufocados (...) é do mal hereditário amar a si mesmo mais do que os outros, desejar mal aos que não nos honram, ter satisfação com a vingança e também amar o mundo mais do que o Céu, e também todas as cobiças ou afeições maldosas que provêm da mesma fonte. *AC 4317*[5]

Não há maneira de qualquer um ser levado a esse estado íntimo se o pensar, o querer e o fazer do mal forem constantemente evitados.

Como a vida do homem é o que ele herda, se não tivesse permissão de estar no mal, não haveria vida e, se não estivesse livre, também não a teria. Ainda, ele não pode ser forçado a fazer o bem, pois o que é obrigado não tem valor; e além disso, o bem que o homem recebe em liberdade fica implantado em seu querer e torna-se, como se fosse, sua propriedade. *HH 293*

Os males não podem ser removidos a não ser que apareçam. Isso não significa que o homem deve praticar o mal para que ele apareça, mas que ele deve examinar não apenas suas ações, mas também seus pensamentos, e o que ele faria se não temesse as leis e a desgraça; especialmente que males ele mantém em seu espírito que podem ser permissíveis e não considerados pecados; pois esses ele ainda comete. *DP 278*

A permissão dada ao mal tem um propósito final, especificamente a salvação (...) se não fosse permitido ao homem pensar de acordo com o amor de sua vontade, que lhe é implantado por herança, esse amor permaneceria fechado e nunca poderia ser visto por ele; e o amor do mal que não se torna aparente é como um inimigo emboscado, como veneno no sangue e corrupção no peito, que, se permanecerem fechados, causam a morte. Mas, quando um homem é autorizado a pensar nos males de sua vida, tanto que passe a entendê-los, eles são curados por meios espirituais, como as doenças o são por meios naturais. *DP 281*[1,2]

Teria sido possível ao Senhor curar o entendimento em todo homem, fazendo com que não pensasse no mal, mas apenas no bem, e isso por meio de medos de diversos tipos, por milagres, por conversas com os mortos e por visões e sonhos. Mas curar só o entendimento é curar o homem exteriormente apenas; pois o entendimento com seu pensamento é o aspecto exterior da vida do homem, enquanto a vontade com as afeições é o aspecto interno de sua vida. Portanto, a cura só do entendimento seria paliativa, pela qual a malignidade interior fechada e impedida de aparecer destruiria primeiro as partes próximas e depois as distantes, até que o todo se tornasse gangrenado. *DP 282*

··· VII ···

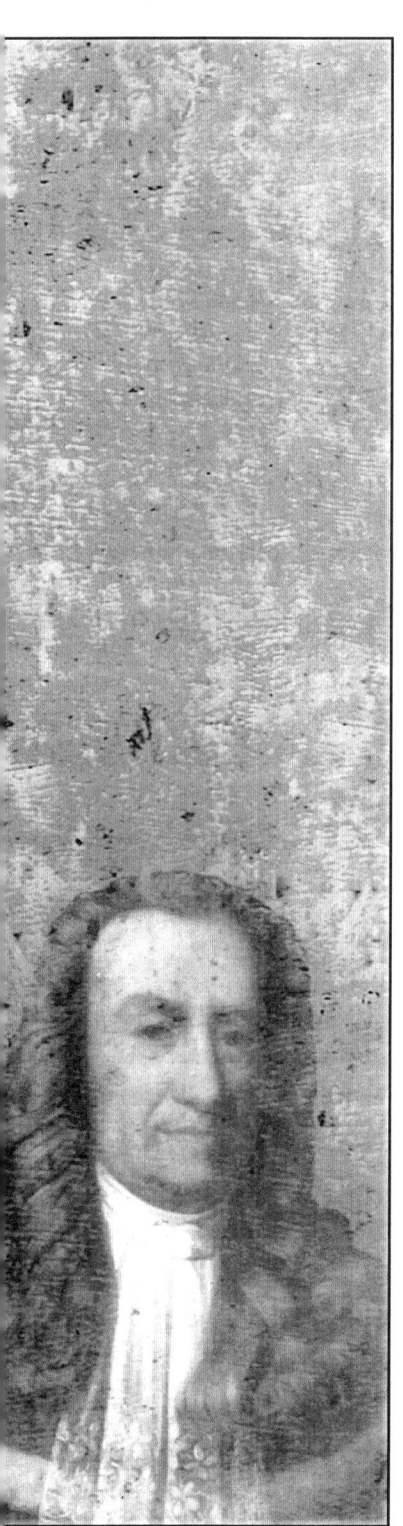

RENASCIMENTO (REGENERAÇÃO)

Como no ensinamento tradicional cristão, a condição caída do homem só é sobrepujada por um renascimento espiritual, chamado regeneração. Entretanto, o renascimento espiritual não é uma ocorrência, mas recorrência cíclica, como a aurora de novos dias ou primaveras. Esses ciclos naturais de noite/dia e a mudança de condições nas estações correspondem aos processos regenerativos que acontecem no espírito.

A condição de uma pessoa que está sendo regenerada assemelha-se ao frio e calor, isto é, um ponto em que não há fé e caridade e outro subseqüente em que existem (...) Pela regeneração, uma pessoa recebe a vida do Senhor, e por ela não ter vida anteriormente, alterna entre um estado de não-vida e outro de vida propriamente dita, isto é, entre nenhuma fé e caridade e alguma fé e caridade. Aqui, inexistência de fé e caridade é representada por frio, e sua existência, por calor (...) Quando ele retorna ao corpo, vive no frio, e quando o corpo ou o que lhe pertence está inativo, e, por assim dizer, não-existente, vive no calor. Esses dois estados alternam-se. É tal a condição do homem que estados celestiais e espirituais não podem coexistir com seus interesses corporais e mundanos, mas apenas se alternam. Essa é a experiência de todos os que estão no caminho da regeneração, e continua até que sejam regenerados. *AC 933*[1,2,3]

As mudanças que acontecem com as pessoas que ainda têm de ser regeneradas são semelhantes ao frio e calor, enquanto as que ocorrem com os que foram regenerados assemelham-se ao verão e inverno (...) O fato de que uma pessoa regenerada experimente alternações, ou, melhor dizendo, que em certo ponto não resida a caridade nela e logo depois alguma caridade se apresente, é perfeitamente claro pela razão de que com todos, mesmo os regenerados, só existe o mal. Tudo de bom com ele é unicamente do Senhor. Em virtude de existir apenas o mal com ele, é inevitável que a pessoal sofra mudanças, uma hora vivendo no verão, isto é, em caridade; e outra no inverno, isto é, sem caridade. O resultado dessas mudanças é que uma pessoa está sendo aperfeiçoada e, assim, tornando-se cada vez mais feliz. Tais mudanças acontecem com uma pessoa regenerada não apenas durante sua vida, mas também depois dela, pois sem mudanças como essas de verão e inverno em relação às coisas da vontade, e como essas de dia e noite em relação a coisas do entendimento, ela não será aperfeiçoada nem será mais feliz. Na outra vida, entretanto, as mudanças são como aquelas de verão e inverno em regiões temperadas e como aquelas de dia e noite na primavera. *AC 935*[1, 2]

CONTINUIDADE

Ocasionalmente, Swedenborg usa o termo regeneração de maneiras específicas mais limitadas (por exemplo, para indicar uma vida exterior em correspondência a uma vida interior pura), mas, em geral, ele o usa para indicar uma dinâmica interior que, se não impedida, opera desde a infância até além de nossa entrada no Céu depois da morte, levando-nos a uma união mais próxima com o Divino.

Desde a tenra infância até o fim de sua vida e depois pela eternidade, um homem que está no bem renasce novamente a todo momento, não apenas em seu interior, mas também no exterior, e isso por meio de processos surpreendentes. São esses processos que, para a maioria, constituem a sabedoria angelical. *AC 5202*[4]

Um homem que foi regenerado, e que também está no Céu, permanece alternativamente em coisas externas e internas; pois coisas externas são estabelecidas de forma a concordarem com coisas internas, e, no todo, as primeiras sujeitam-se às segundas. Enquanto um homem está voltado para as coisas externas, encontra-se em estado de trabalho e combate, pois está em uma vida com enfoque mundano (...) mas, quando um homem se volta para as coisas internas, cessam o trabalho e o combate, pois ele está no Céu com o Senhor; e, então, ele está na tranqüilidade da paz, estado no qual também a conjunção é afetada. *AC 9278*[2, 3]

Nunca existiu um período definitivo de tempo para que alguém esteja suficientemente regenerado a ponto de dizer "agora sou perfeito". De fato, um ilimitado número de estados de mal e falsidade existe em todos, e não estados simples, mas variados e complexos (...) que têm de ser eliminados de tal maneira que não reincidam. Em alguns estados, uma pessoa pode ser considerada quase perfeita, mas em muitos outros, não. Pessoas regeneradas durante a vida, e para as quais a fé no Senhor e a caridade estiveram presentes, serão constantemente aperfeiçoadas na próxima vida. *AC 894*

> O progresso ao longo do caminho da regeneração envolve a conquista de um grande número de objetivos.

A regeneração é uma separação sucessiva do mal que está relacionado com a inclinação natural. *CL 146*

Regeneração (...) é a conjunção do interior com o exterior no homem pelo amor, conseqüentemente, é a união do Céu com a Terra nele. *AC 5161*

O homem é regenerado pelas verdades dentro dele sendo conjugadas com o bem, isto é, pelas coisas que pertencem à fé sendo unidas com aquelas que são da caridade. *AC 4353*

O fim da regeneração é que o homem interno possa ser conjugado ao externo, e assim, por meio da razão, o espiritual com o natural. *AC 4353*[2]

Um homem é enriquecido com o bem espiritual e celestial quando as coisas que estão com ele são oferecidas pelo Senhor em ordem espiritual e celestial, portanto, à imagem e semelhança da Ordem Divina; a regeneração do homem não é nada mais. *AC 3017*

A regeneração não é nada além da submissão do natural e do domínio do espiritual; e o natural é subjugado quando é reduzido a uma correspondência. Quando o natural for restrito a uma correspondência, não mais reagirá, mas agirá sob comando e obedecerá ao espiritual, quase como os atos do corpo acatam as solicitações da vontade e como a fala e as expressões faciais se manifestam ao influxo do pensamento. *AC 5651*[3]

Diz-se que são regenerados aqueles que se sujeitam a ser levados pelo Senhor, pelas verdades reconhecidas como de fé, para o bem da vida espiritual. *AC 8987*

Conjunção com o Senhor e regeneração são uma só coisa, pois qualquer um que esteja conjugado ao Senhor está reabilitado. *DP 92*

Quando uma pessoa está sendo regenerada, ela se constrange da liberdade que o Senhor lhe dá; humilha e aflige seu racional para que este se renda e, em conseqüência, recebe um *proprium* celestial. Esse *proprium* é então gradualmente aperfeiçoado pelo Senhor e torna-se cada vez mais livre, e, por conseqüência, transforma-se em uma afeição pelo bem e pela verdade que deriva desse bem, e toma posse do prazer. E nessa afeição e nesse prazer há felicidade como aquela que os anjos experimentam. *AC 1947*[2]

> O renascimento é, portanto, efetuado pelo Divino partindo de dentro.

O Senhor reside na parte mais íntima de uma pessoa, e de lá governa todas as outras partes. Quando alguém permite que o Senhor traga ordem para as outras áreas de si, de tal forma que se assemelhem à sua parte mais íntima, atinge o estado em que pode vir a ser recebido no Céu, e as partes interior e exterior agem como um. *AC 2973*[4]

Os anjos vêem e percebem, em alguém que está sendo regenerado e em quem estão presentes como servos, todas as mudanças de estado que acontecem. E, de acordo com essas mudanças, e por meio delas, o Senhor permite que esses anjos o levem ao bem, desde que ele se permita ser conduzido. *AC 4122*

ESTADOS RESIDUAIS

Os meios para começar o processo de regeneração estão oferecidos ao homem desde sua infância. Por toda a vida, quaisquer que sejam as circunstâncias exteriores, experiências de estados celestiais – tais como amor, paz, alegria, humildade, confiança, etc. – acontecem sem percepção consciente. Tais experiências são armazenadas na "memória" do homem. Swedenborg as chama de estados residuais, ou resíduos.

Resíduos (...) são todos os estados de afeição pelo bem e pela verdade oferecidos pelo Senhor a uma pessoa desde a tenra infância até o fim de sua vida. Esses estados são armazenados nela para uso em sua vida depois da morte, pois, na próxima vida, todos os estados retornam um após outro e, nesse momento, são modificados pelos estados de bem e verdade que o Senhor conferiu a ela. Quanto mais resíduos ela acumular durante sua vida, ou quanto mais verdade e bem forem acumulados, mais felizes e mais bonitos serão os demais estados quando retornarem (...) no nascimento (...) todo o bem flui por eles, tal como amor pelos pais, babás e amigos, sendo esse influxo originado da inocência. Essas são as dádivas que fluem do Senhor através dos céus de inocência e paz, que são o Céu mais íntimo. *AC 1906*

Mais tarde, quando a pessoa cresce, esses estados de bem, inocência e paz da infância partem dela pouco a pouco; e, à medida que ela é introduzida no mundo, entra em contato com seus prazeres e delícias e, assim, com o mal, e as coisas celestiais ou os bens da infância começam a se dispersar. Caso eles ainda permaneçam, é por meio deles que os estados são moderados, a pessoa os toma para si e os adquire mais tarde. Sem eles, não pode ser verdadeiramente humana, pois estados nos quais prevalecem desejos maléficos, se não moderados por estados em que a afeição pelo bem esteja presente, serão bem mais perniciosos do que aqueles de qualquer animal. Esses estados de bem são chamados resíduos, conferidos pelo Senhor e implantados na disposição natural da pessoa, o que acontece quando ela não está consciente disso. No fim da vida, ela recebe mais novos estados; mas esses não são tanto estados de bem quanto de verdade, pois, à medida que cresce, a pessoa tem concessões de verdades, e essas, da mesma forma, são armazenadas no interior do homem. Por meio desses resíduos, que são aqueles de verdade e que nasceram do influxo das coisas espirituais do Senhor, uma pessoa tem a habilidade de pensar, e também de entender o bem e a verdade da vida pública e civil, e também de receber a verdade espiritual, que é a realidade da fé, mesmo que não tenha habilidade para fazer tais coisas, exceto por meio dos resíduos do bem que recebeu na infância. O homem é completamente inconsciente da existência desses resíduos e do fato de eles serem armazenados em seu racional interior. *AC 1906*[2,3]

Também há resíduos adquiridos durante os conflitos trazidos pelas tentações. *AC 1738*

> Essas experiências – sementes estão indelevelmente impressas na alma íntima, mas, como sementes plantadas na terra, elas permanecem freqüentemente um longo tempo esquecidas.

O Senhor preserva [esses resíduos] com a pessoa e os armazena no homem interior, apesar de a pessoa não estar consciente disso. Aqui, elas são separadas completamente das coisas que são propriedade exclusiva da pessoa, seu mal e suas falsidades. *AC 561*

> Nesse estágio [plantio], a livre escolha do homem não está envolvida – elas [as sementes] são gratuitamente espalhadas. O processo regenerativo pelo qual elas podem crescer e tornar-se permanentes, desenvolvendo parte do espírito do homem, acontece mais tarde em diversos estágios.

Os resíduos são abandonados no homem natural quando ele está em um estado de bem; mas, ao se envolver em um estado de mal, eles são avivados e posteriormente armazenados novamente. A razão de serem avivados e armazenados novamente é para prevenir de serem misturados com o mal e assim perecerem. Quando um homem não pode ser regenerado, os resíduos são cuidadosamente preservados em seu interior. Mas, enquanto é reabilitado, os resíduos são liberados do interior para o exterior, pela razão de que, pela regeneração, o interior é conjugado com o exterior e ambos agem como um. Resíduos, então, são primeiro deixados em geral e depois usados sucessivamente em particular. *AC 6156*

Quando chega o tempo em que o homem é capaz de ser regenerado, o Senhor lhe inspira a afeição pelo bem e, assim, excita as coisas que foram armazenadas por ele, coisas chamadas de resíduos na Palavra, e então, por meio dessa afeição, isto é, a afeição pelo bem, ele remove sucessivamente a afeição por outros amores e, conseqüentemente, também as coisas que estavam conectadas a eles. *AC 3336*[3]

CONSCIÊNCIA

> A qualidade da mente que chamamos consciência é formada pelo que um homem aprende dos outros como sendo verdade – mesmo que se trate de

mentira. (De alguma forma, a crença em mentiras é inevitável, considerando as limitações da mente finita.)

Todos supõem que suas crenças são verdadeiras, e, dessa forma, adquirem consciência. Conseqüentemente, após ele ter adquirido uma consciência, agir contrariamente às coisas que lhe foram impressas como verdades de fé é, para ele, atuar contrariamente à sua consciência. *AC 1043²*

A consciência daqueles que são da Igreja espiritual é algo de verdade, pois é adquirida das doutrinas da Igreja, as quais acredita-se que sejam verdades, independentemente de serem ou não. *AC 8081*

A consciência pode ser tanto mais espiritual (interna) quanto mais natural (externa).

O homem tem consciência do que é bom e certo. A consciência do que é bom é a do homem interno, e aquela do que é certo é a do homem externo. A consciência do que é bom consiste em agir de acordo com os mandamentos da fé de uma afeição interna; a do que é certo, atuar conforme a afeição externa para com as leis civis e morais. *AC 9119*

A consciência pode trazer benefício espiritual imediato.

Aqueles que exultam em uma consciência estão na tranqüilidade da paz e bênção interior quando agem de acordo com ela, e sofrem uma certa contrariedade quando agem em desacordo com ela. *TCR 666*

Consciência também pode trazer dor espiritual imediata.

Em um homem regenerado, há alegria quando ele age de acordo com sua consciência e ansiedade ao ser compelido a fazer ou pensar qualquer coisa contra ela. *AC 977*

Uma consciência sensível pode facilmente ser sobrecarregada às vezes, por influências de certos espíritos do mundo espiritual.

Esses espíritos levantam escrúpulos na consciência como se dela fossem, e os insinuam ao homem com relação a assuntos a respeito dos quais alguma coisa ocorre e que eles supõem ser obrigação, gerando assim pecados; dessa forma, eles sobrecarregam a consciência com assuntos com os quais ela não deveria se preocupar. Existem muitos no mundo que se dizem conscienciosos, mas que não sabem o que é verdadeira consciência; porém, fazem tudo que parece ser assunto de consciência. *SD 1240*

Há também uma consciência espúria e uma falsa consciência com as quais devemos nos preocupar.

A consciência, em geral, pode ser verdadeira, espúria ou falsa. A verdadeira é aquela formada pelo Senhor de verdades de fé. Uma vez conferida, a pessoa tem medo de agir contrariamente às verdades de fé, pois, assim fazendo, estaria agindo contra a consciência (...) A consciência espúria é formada com os gentios, proveniente de devoções religiosas com as quais nasceram e cresceram. Para eles, agir contrariamente a essas devoções religiosas é desobedecer a consciência. Quando sua consciência é sedimentada em caridade e misericórdia, e em obediência, tornam-se capazes de receber uma consciência verdadeira na próxima vida, e a recebem de fato (...) A consciência falsa é aquela formada por coisas exteriores e não interiores, isto é, não pela caridade, mas pelo amor a si e ao mundo. De fato, há pessoas que parecem a elas mesmas estar agindo contrariamente à consciência quando atuam contra seu próximo, e que, nesses momentos, parecem a si mesmas estar interiormente impressionadas. A razão é que percebem, em seu pensamento que sua própria vida, posição, reputação, riqueza ou ganho financeiro estão em perigo, e assim percebem que eles mesmos estão sendo feridos. *AC 1033*[1, 3]

ILUMINAÇÃO

Como alguém pode saber se o que os outros ensinam é verdade ou não? E, assim, como evitar desenvolver uma consciência espúria? O que é necessário acima de tudo é um amor genuíno pela verdade por seu próprio interesse – e porque ele ajuda esse alguém a ser verdadeiramente útil na vida.

Um homem está iluminado quando enamorado pela verdade, por interesse na verdade e não em si mesmo e no mundo. *AC 9424*[2]

A iluminação de cada um é de tal qualidade como é sua afeição pela verdade, e a qualidade da afeição pela verdade é como o bem da vida. Conseqüentemente, aqueles que não têm afeição pela verdade por interesse pela verdade, mas visando ao ganho, não serão iluminados quando lerem a Palavra, mas apenas confirmados em doutrinas de qualquer caráter que sejam, independentemente se falsas, heréticas ou contrárias à verdade. *AC 7012*

Ninguém (...) pode saber se o ensinamento doutrinário de sua Igreja é verdadeiro, exceto aqueles afeiçoados à verdade por interesse nos seus usos na vida. Esses são continuamente iluminados pelo Senhor, não apenas durante suas vidas, mas também depois delas. *AC 8521*[3]

Humildade é outro elemento essencial para a iluminação.

Aqueles que lêem a Palavra, e que depois olham para o Senhor, reconhecendo que todo bem e verdade vêm dele, e não deles, são iluminados. *AC 9405*

Confiança na autoridade de qualquer doutrina particular deveria ser apenas uma pedra no degrau que leva ao recebimento da iluminação do interior.

Primeiro, as coisas doutrinárias da Igreja precisam ser aprendidas, e, depois, a Palavra deve ser examinada para ver se são verdades; pois não são exatas apenas porque os líderes da Igreja o disseram e seus seguidores confirmaram; se assim fosse, as coisas doutrinárias de todas as Igrejas e religiões teriam de ser consideradas verdadeiras...

Isso mostra que a Palavra precisa ser pesquisada para concluir se as coisas doutrinárias são reais. Quando isso é feito por afeição à verdade, o homem é iluminado pelo Senhor, podendo assim perceber, sem saber por que motivo, o que é verdade; e ele é confirmado a partir daí de acordo com o bem em que está (...) Ninguém é proibido de pesquisar as escrituras pelo desejo de saber se as doutrinas da Igreja em que nasceu são verdadeiras; pois de nenhuma outra forma poderá ser iluminado. *AC 6047*[2,3]

Aqueles que estão na genuína afeição da verdade, isto é, aos que desejam conhecê-la por interesse no bem e na vida, também confiam na doutrina da Igreja até chegar a uma idade em que começam a pensar por si mesmos; então, pesquisam as escrituras e suplicam ao Senhor por iluminação, e, quando são iluminados, alegram-se de coração, pois sabem que, se tivessem nascido onde houvesse outra doutrina da Igreja, mesmo onde há a maior heresia, sem pesquisar as escrituras com afeição genuína pela verdade, permaneceriam naquela doutrina. *AC 8993*[4]

> Assim, o homem deve tornar-se um genuíno buscador, pesquisando as escrituras e construindo gradualmente sua própria filosofia religiosa sob orientação ou iluminação de dentro.

Aqueles que estão na afeição espiritual da verdade, quando lêem a Palavra, não a vêem como doutrina da Igreja na qual nasceram, mas vêem-na como se estivessem separados dessa doutrina, pois desejam ser iluminados, e ver as verdades internamente em si próprios, e não em outros. Aqueles nessa situação são iluminados pelo Senhor, e lhes é garantido formar uma doutrina para eles mesmos das verdades que viram; essa doutrina também é implantada neles e permanece em seus espíritos pela eternidade. Mas aqueles que lêem a Palavra da doutrina que receberam de outros não podem ver as verdades pela luz de seu próprio espírito, assim, não internamente a eles, mas fora deles; pois acreditam ser verdade por outros lhe terem dito e, portanto, eles só acreditam em coisas que lhes foram confirmadas, passando por outras como se não as vissem, ou atraindo-as para as coisas que dita sua doutrina. *AE 190*

ARREPENDIMENTO

> No Novo Testamento, a palavra arrependimento é versão do grego *metanoia*, cuja tradução literal é "mudança de mente ou decisão". Em termos de espaço espiritual, é uma completa reviravolta – de manter as costas para o Divino, para virar-se de frente a Ele. Para Swedenborg, esse passo crucial no desenvolvimento da alma envolve diversos estágios.

Arrependimento é examinar a si mesmo a fim de reconhecer e identificar seus próprios pecados, assumir a responsabilidade, confessá-los perante o Senhor, pedir por ajuda e poder para resistir a eles, e, dessa forma, livrar-se deles e levar uma nova vida, e fazer todas essas coisas por si mesmo. *AR 531*[5]

Um homem que se examina com o propósito de praticar o arrependimento deve explorar seu pensamento e as intenções de sua vontade; e lá, ele deve examinar o que deve fazer se estiver livre; isto é, se não tiver medo das leis e da perda de reputação, honra e ganho. *HD 164*

Arrependimento é uma espécie de manter-se à parte daquilo que se reconhece como egoísta (pecaminoso) em si mesmo.

Ninguém pode dizer que se arrependeu, a menos que tenha se separado daquelas coisas das quais se arrependeu; e separa-se delas quando as evita e as mantém em aversão. *AE 143*

Mas como alguém é libertado das amarras dos desejos egoístas?

PERDÃO (REMISSÃO DOS PECADOS)

Aqui, precisamos distinguir claramente entre a atitude de alguém que perdoa e a resposta dada pelo absolvido por aquilo que é perdoado. Primeiro, relembremos a natureza do perdão divino.

Para [a raça humana] há um Divino, que é um amor infinito, e um Divino, que é uma misericórdia infinita (...) o Senhor continuamente desculpa e perdoa, pois Ele continuamente se apieda. *AC 8573*[2]

Perdão é uma atitude ou estado de escolha de deixar de lado ("redimir"), desconsiderar, não ver o mal nos outros, mas apenas o bem neles.

Perdoar é observar alguém, não pelo mal, mas pelo bem. *AC 7697*

O perdão ou remissão dos pecados é a separação do mal do bem. *AC 9013*[8]

O que não é atendido, diz-se que é perdoado. *AC 10504*

Os pecados são removidos pelo amor e pela fé do Senhor. *AC 9938*

O Senhor perdoa [redime] os pecados de todos (...) eles não são perdoados, a menos que o homem seriamente se arrependa e desista do mal, e depois aja com fé e caridade, até o fim de sua vida. Quando esse é o caso, o homem recebe do Senhor vida espiritual, que é chamada nova vida. Quando dessa vida o homem observa o mal de sua vida pregressa, e vira-se a ela e a abomina, então primeiro o mal é redimido, pois então o homem se mantém nas verdades e nos bens do Senhor, e livre do mal. *AC 9014*[3]

Mas, para isso ser alcançado, outra coisa de enorme importância tem de acontecer.

O homem não pode ser livrado da danação exceto pela remoção do mal, e ela não acontece exceto pelo arrependimento; e essas coisas ocorrem por meio das tentações espirituais que são as coisas penosas do arrependimento. *AC 9077*

COMBATE À TENTAÇÃO

Esse é o processo espiritual crucial e dinâmico que pode mudar completamente a vida de um homem, partindo de seu interior – o teste de onde ele realmente está quando a sorte é lançada. Esse teste nunca é apresentado diretamente por Deus, mas é autorizado pelo interesse do crescimento espiritual.

O Senhor nunca amaldiçoa alguém, nunca está indisposto, nunca faz ninguém cair em tentação e nunca pune. É a trupe do Demônio que faz essas coisas. Tais coisas não podem vir da fonte da misericórdia, paz e bondade. *AC 245*

Tentações e tormentos aparecem como se tivessem origem no Divino, pois, como disse antes, eles chegam através da presença divina do Senhor; mas ainda assim não provêm do Divino, ou do Senhor, mas dos males e falsidades que estão na pessoa que é tentada ou atormentada. Pois, do Senhor, só provém a santidade que é bem, verdade e misericórdia. Essa santidade, especificamente o bem, a verdade e a misericórdia, aqueles que estão no mal e nas falsidades não podem suportar, pois são opostos ou contrários. AC 4299[3]

Esse processo começa, freqüentemente, como resultado de ações contra a consciência.

Assim que um homem faz ou expressa qualquer coisa contrária à sua consciência, cai em tentação e passa a corroê-la, isto é, em uma espécie de tormento infernal. *AC 986*[2]

Por "tentação", Swedenborg se refere claramente a alguma coisa bem diferente da idéia normal sobre tentação, que às vezes ele chama tentação natural para distingui-la da verdadeira tentação espiritual.

As tentações espirituais são do homem interno, mas as tentações naturais são do homem externo. Tentações espirituais existem às vezes sem tentações naturais, e às vezes com elas. As tentações são naturais quando o homem as sofre em relação ao corpo, às honras, à riqueza, a palavras, à vida natural, como é o caso em doenças, más sortes, perseguições, punições injustas e semelhantes. As ansiedades que surgem nesse processo qualificam as tentações naturais. Mas essas tentações não afetam em nada a vida espiritual do homem, nem mesmo podem ser chamadas tentações, mas aflições; pois existem das injúrias à vida natural que se refere ao amor por si e pelo mundo. Os fracos estão às vezes nessas aflições, e quanto mais amarem a si e ao mundo, mais se afligem e sofrem. Porém, as tentações espirituais são do homem interno e atacam sua vida espiritual. Nesse caso, as ansiedades não se referem a qualquer perda na vida natural, mas dizem respeito à perda de fé e caridade e, conseqüentemente, de salvação. Essas tentações são freqüentemente induzidas pelas tentações naturais, pois, quando um homem se defronta com doenças, perda de riqueza e honra, e se começa a pensar a respeito da ajuda do Senhor, Sua Providência, o mal no qual ele glorifica e exalta quando o bem sofre e passa por aflições e perdas, então a tentação espiritual se conjuga à tentação natural. *AC 8164*

> As verdadeiras tentações espirituais ocorrem quando se sente que as qualidades celestiais implantadas por Deus são ofendidas de alguma forma.

Toda tentação é um ataque contra o amor presente em uma pessoa, o grau de tentação dependendo da intensidade desse amor. Se o amor não for atacado, não há tentação. *AC 1690*[3]

> O "ataque" se deve à presença próxima de influências negativas (a esfera daquela região do Inferno interior ao qual o homem chegou). A defesa chega da esfera celestial oposta, a angélica, na região celestial interna que está sob ataque.

Quando a tentação espiritual acontece em alguém, mostra-se como um conflito entre os espíritos do mal e os anjos que residem nessa pessoa, que normalmente sente esse conflito em sua consciência. A respeito de tal conflito, deve-se reconhecer que os anjos protegem o homem constantemente e vigiam os males e os espíritos do mal que se volta contra ele. Protegem inclusive das falsidades e do mal da pessoa, pois são totalmente conscientes a respeito de onde vêm as falsidades e o mal da pessoa – dos espíritos do mal e dos gênios. O homem não produz falsidade ou mal de si mesmo. São os espíritos do mal que nele residem que fazem isso, e assim convencem o homem de que nele se originaram (...) e ainda, no mesmo momento em que instilam isso nele e o convencem, também o acusam e condenam (...) Qualquer pessoa que não tenha fé no Senhor é incapaz de ser iluminada na matéria; inevitavelmente acreditará que o mal se origina nela. Conseqüentemente, faz do mal sua posse e torna-se como aqueles espíritos que nela residem. Essa é a situação do homem. E, como os anjos estão conscientes disso, protegem até mesmo as falsidades e males de uma pessoa enquanto sujeita às tentações que fazem parte da regeneração. *AC 761*

> As técnicas usadas pelos espíritos do mal são muitas, mas podem ser vistas em operação, pelos espiritualmente despertos, na vida usual cotidiana no mundo.

Há espíritos do mal (...) que ativam as falsidades e o mal das pessoas (...) de fato, eles retiram da memória qualquer coisa que existia e que tinha valor desde a tenra infância. Espíritos do mal podem fazer isso maldosa e inteligentemente além de qualquer descrição. Mas os anjos que estão com a pessoa atraem o bem e a verdade dela e, dessa forma, defendem-na. *AC 751*

Espíritos infernais relembram o mal que um homem já fez, pervertem e dão interpretações erradas ao bem que praticou. *AC 6202*

Um estado de tentação (...) é também como a condição de uma masmorra ou um buraco – esquálido e sujo; pois, quando um homem está sendo tentado, espíritos sujos permanecem perto dele, cercam-no, excitam o mal e as falsidades nele, e ainda o mantêm neles e exageram até o desespero. *AC 5246^2*

Há espíritos que infligem dor e desespero em relação à salvação. *AC 6828*

Qualquer um sujeito a experiências de tentação tem dúvidas a respeito do fim em vista. Esse fim é o amor, contra o qual espíritos do mal e gênios do mal lutam e, assim fazendo, colocam o fim em dúvida (...) Espíritos do mal enganosos e mal-intencionados cavam seu caminho para esses amores lisonjeando-os e, dessa forma, trazem a pessoa para seu meio. Uma vez conseguido, logo tentam destruir seus amores para assim matar essa pessoa, o que fazem em milhares de maneiras inimagináveis (...) Em seus ataques, pervertem o bem e as verdades, inflamando-os com um certo tipo de desejo maligno e persuasão, de tal forma que a pessoa passa a não conhecer nada além de desejos e persuasões similares dentro dela. Ao mesmo tempo, infundem aqueles bens e verdades com o encantamento que buscam do encantamento que aquela pessoa tem por qualquer outra coisa. Dessa forma, infectam-na e infestam-na fraudulentamente, fazendo tudo isso tão habilmente que, se o Senhor não vier em socorro, a pessoa passa a conhecer-se apenas nessa forma. Eles agem de maneira similar contra as afeições da verdade que constituem a consciência tão logo se tornam conscientes de qualquer coisa que ali esteja, moldando uma afeição das falsidades e fraquezas que existam naquela pessoa. Por meio dessa afeição moldada, obscurecem a luz da verdade e assim a pervertem, causando com isso ansiedade e tormento. Adicionalmente, mantêm o pensamento firmemente fixado em uma única coisa, enchem-no com desilusão, ao mesmo tempo permeando essa desilusão de desejos maléficos. Paralelamente, usam inúmeros outros dispositivos que não são possíveis descrever para um bom entendimento. São alguns poucos caminhos – muito gerais – pelos quais eles são capazes de seqüestrar a consciência da pessoa, a qual, acima de tudo, têm imensa alegria em destruir. *AC 1820$^{2,\,4}$*

O efeito desses ataques é dar corpo a certos estados que podem ser claramente identificados.

Enquanto durar a tentação, a pessoa presume que o Senhor não está presente, pois ela está sendo atrapalhada pelo gênio do mal, de fato tão incomodada que às vezes tem um grande sentimento de desamparo, tão proeminente que raramente acredita na existência de qualquer Deus que seja. Mas, mesmo nesse momento, o Senhor está mais presente do que pode acreditar a pessoa. Porém, conforme a tentação decresce, ele recebe conforto e, pela primeira vez, acredita que o Senhor está presente. *AC 840*

Aqueles que são libertados das tentações primeiro permanecem na obscuridade antes de receber a claridade, pois as falsidades e o mal injetado pelos infernos aderem a eles por algum tempo e só se dissipam gradualmente. *AC 8199*

Essas experiências negativas e dolorosas podem ser bastante prolongadas.

A lei da ordem a respeito daqueles que estão em um estado de infestação pelas falsidades propõe que eles sejam infestados até o desespero e, a menos que isso aconteça, o derradeiro uso resultante da infestação é insuficiente. *AC 7166*

O desespero é o último estágio desse estado, pois, por meio disso, o gosto pelo amor por si e pelo mundo é removido, e o prazer do amor pelo bem e pela verdade é introduzido em seu lugar; pois, no caso daqueles a serem regenerados, o desespero diz respeito à vida espiritual e, conseqüentemente, à privação da verdade e do bem, porque quando tais pessoas são desprovidas de amor e bem sentem o desespero em sua vida espiritual; conseqüentemente, sentem satisfação e felicidade quando se livram do desespero. *AC 5279*

Aqueles que estão em tentação, e não em qualquer outra vida ativa além daquela de preces, não sabem que, se as tentações forem interrompidas antes de terminarem completamente, não estarão preparados para o Céu, e, assim, não poderão ser salvos. Também por essa razão, as preces daqueles que estão em tentação são pouco atendidas, pois o Senhor quer o fim, que é a salvação da pessoa, que Ele conhece, mas o homem não; e o Senhor não age em favor das preces que são contra esse fim, que é a salvação. *AC 8179*[3]

Porém, a conclusão final depende da livre resposta do homem a essas experiências.

Os homens precisam ter fé de que a salvação só provém do Senhor, e não deles, pois esse é o principal detalhe de fé presente nas tentações. Aquele que acredita que quando é tentado pode resistir por sua própria força, cai; a razão é que ele está em falsidade, e que, assim, atribui mérito a si mesmo, imagina ser salvo por si e, então, despreza o influxo do Divino. Mas quem acredita que só o Senhor resiste nas tentações, conquista; pois ele está na verdade e atribui o mérito ao Senhor, e percebe que só é salvo pela interferência do Senhor. *AC 8172*

Se a conclusão é o bem, o homem experimenta uma notável mudança de estado.

Todos os que estão sendo regenerados pelo Senhor sofrem tentações; e, depois delas, experimentam a felicidade. Portanto, quando falsidade e o mal do homem são removidos, as tentações terminam; e, então, a alegria flui dos céus pelo Senhor e preenche a mente natural do homem (...) A razão por que o homem recebe alegria e felicidade depois das tentações é que, afinal, ele é admitido ao Céu; pois, pelas tentações, um homem conjuga-se ao Céu e é nele admitido. *AE 897*

Os resultados espirituais são igualmente impressionantes.

Pelas tentações, também, as luxúrias que são os amores por si e pelo mundo são subjugadas e o homem é humilhado. Assim, fica pronto para receber do Senhor a vida do Céu; aquela que tem o homem regenerado. *AC 8966*

Pelas tentações, o homem espiritual ou interno adquire domínio sobre o homem natural ou externo, e, assim, o bem, que é caridade e fé, sobrepuja o mal, que é o amor por si e pelo mundo. Quando isso acontece, o homem tem iluminação e percepção daquilo que é verdadeiro e daquilo que é bom, e também do que é falso e mau; e, conseqüentemente, adquire inteligência e sabedoria que depois crescem diariamente. *AC 8967*

O desespero [durante a tentação] também faz com que ele sinta a felicidade da vida do Senhor; pois, quando se livra daquele estado, sente-se como o condenado à morte que é libertado. Por meio da desolação e da tentação, sentem-se estados contrários à vida celestial, e isso resulta na implantação de um sentimento e uma percepção de satisfação e felicidade na vida celestial; pois o sentimento do que é satisfatório e feliz é impossível sem comparação com seus opostos. *AC 6144*

Depois de um homem ter passado pela tentação, ele é como seu homem interno no Céu, enquanto permanece no mundo em seu homem externo. Portanto, por meio das tentações, aconteceu nele a conjunção do Céu e do mundo; e, então, o Senhor, contando com ele, governa seu mundo do Céu de acordo com a ordem. *TCR 598*

Depois de toda tentação espiritual, surgem a iluminação e afeição, e assim, satisfação e felicidade; aquela da iluminação pela verdade, e essa da afeição pelo bem. *AC 8367*

Quando os espíritos que estão no mal e na falsidade são conquistados pelos do bem e da verdade, são compelidos a partir, e esses últimos têm alegria pelo Céu do Senhor, e essa alegria é percebida pelo homem como consolação, e como nele mesmo. Mas a alegria e a consolação não são por conta da vitória, mas pela conjunção do bem e da verdade, pois essa tem alegria própria. Essa conjunção é o casamento celestial interno que é o Divino. *AC 4572*

Se, entretanto, uma pessoa se entrega à tentação, seu estado espiritual se deteriora.

Cair em tentações é ser confirmado nas falsidades e males contra as verdades e os bens da fé (...) conseqüentemente, fica claro que o cair em tentações envolve uma blasfêmia à verdade e ao bem, e, algumas vezes, uma profanação; e a maior e mais terrível danação é a profanação. *AC 8169*

REDENÇÃO

Nessa operação divina de salvamento, o Senhor, pela mediação dos anjos, luta pelo homem em seus combates contra as tentações. Quando a vitória é alcançada, o homem experimenta profunda paz interior. Essa é uma marca do estado chamado redenção, e é experimentada sempre que o mal interior é derrotado.

A regeneração de um homem é especificamente uma separação e um abandono de males e falsidades; é uma redenção particular provida pelo Senhor, proveniente de Sua redenção geral. *Cor 21^7*

O objetivo da redenção, e o prêmio ao redimido, é a paz espiritual. *Cor 21^{10}*

Assim, apesar de Jesus Cristo na terra ter vencido o poder do mal de todos os homens, o trabalho divino de resgate e redenção continua.

Não se deve supor que pela redenção, uma vez trazida ao mundo, todos tenham sido redimidos; mas que o Senhor está perdoando continuamente aqueles que acreditam n'Ele e cumprem Seus mandamentos. *TCR 579^3*

FÉ

Será o homem redimido e salvo por sua fé? Depende de como "fé" é entendida.

Há muitos que dizem que o homem é salvo pela fé, ou, como falam, se tiver apenas fé. Mas a maioria dessas pessoas não sabe o que é fé. Algumas imaginam que seja apenas pensamento; outras, que seja conhecimento de alguma coisa em que se tem de acreditar; outras, que seja uma completa doutrina de fé na qual se deve acreditar (...) Fé, todavia, não é mero pensamento (...) pois pensamentos não salvam ninguém. *AC 2228^2*

Acreditar nas coisas que a Palavra ou as doutrinas ensinam, e não viver de acordo com elas, parece fé (...) mas só com isso ninguém é salvo, pois trata-se de uma fé persuadida. *AC 9363*

Então, o que o termo fé significa para Swedenborg?

Fé é uma afeição interna que consiste em querer de coração conhecer o que é verdade e bom, não por interesse doutrinário, mas em nome da vida. *AC 8034*

A fé é o olho do amor; o Senhor é visto pelo amor por meio da fé, e o amor é a vida da fé. *AC 3863*[12]

Fé sem amor é morte, e fé com amor é vida. *AC 9050*[6]

Todos os que estão em amor celestial têm confiança de que serão salvos pelo Senhor. *AC 9244*

CARIDADE

Swedenborg usa a palavra "caridade" para descrever aquelas qualidades de espírito que prolongam o amor do Senhor a Seus filhos.

Caridade significa amor pelo próximo e compaixão, pois qualquer um que ama o próximo como a si mesmo também tem compaixão por ele em seu sofrimento, da mesma forma que tem por si mesmo. *AC 351*

Caridade é querer bem ao outro, à sociedade, ao país do outro, à Igreja, ao Reino do Senhor e, assim, ao próprio Senhor. *AC 4776*

Ninguém pode ter um discernimento sábio e inteligente do que é a verdade a menos que o bem, isto é, a caridade, reine nele. *AC 3412*[3]

Aqueles que têm caridade dificilmente percebem o mal em outra pessoa, mas notam todo o bem e a verdade que estão nela; e fazem uma boa interpretação de seu mal e sua falsidade. De tal natureza são os anjos, algo que receberam do Senhor, que transforma todo o mal em bem. *AC 1079*[2]

A caridade diz respeito ao bem da alma do homem primeiro, e a ama como sendo aquilo por meio do que a conjunção se efetua. *Char 60*

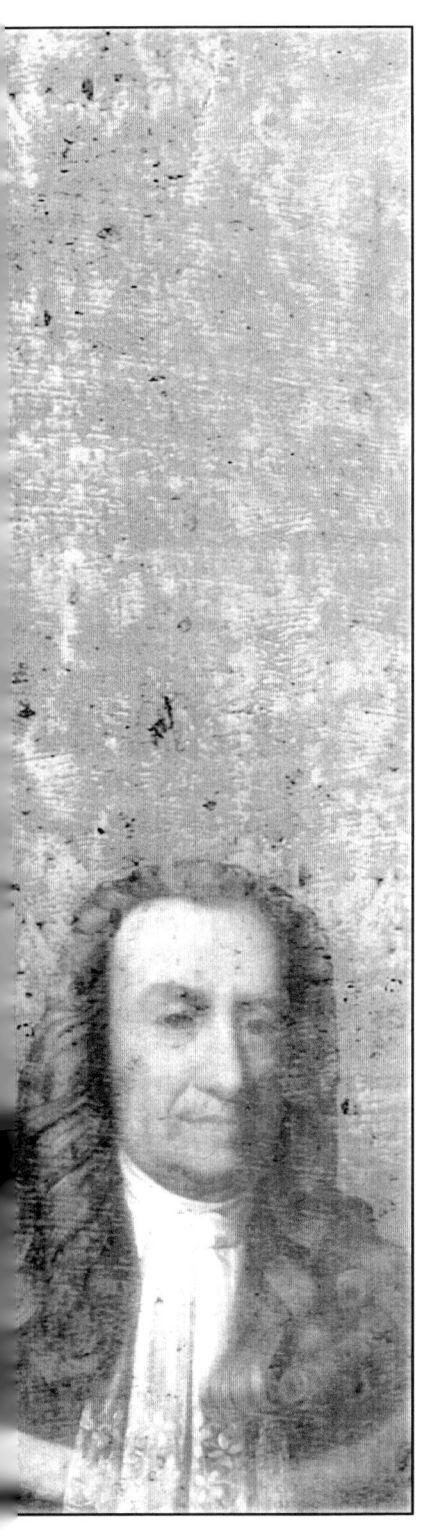

...VIII...

NATUREZA ANGÉLICA

Swedenborg registra muitas experiências de encontros com anjos. Mas a verdadeira qualidade do angélico só pode ser conhecida das profundezas de si mesmo e de lá reconhecida em outro ser. Assim também com Swedenborg. Seus relatos sobre o angélico são autodescobertas – para ele, como podem ser para nós estudando suas descrições e seus relatos. No que segue, aprendemos muito do celestial no "novo" Swedenborg, escritos agora com sentimento e aprofundados em qualidades que ele pouco mencionou antes de sua iluminação.

PENSAMENTO ABSTRATO E FALA

A comunicação dos anjos é, como se poderia esperar, notadamente mais universal em caráter do que o nível normal de linguagem do homem.

Na outra vida, especialmente nos céus, todo pensamento e, conseqüentemente, toda fala são tratados em um sentido impessoal, e, portanto, pensamento e fala lá são universais e relativamente sem limite; pois até onde pensamento e fala são associados com pessoas e suas qualidades específicas, e com nomes e palavras, eles se tornam menos universais e são associados com uma coisa real, e assim permanecem. Por outro lado, à medida que não sejam associados com pessoas e com o que está conectado a elas, mas com realidades abstraídas delas, são desassociadas da coisa real, e estendidas além delas mesmas e a visão mental torna-se mais elevada e, conseqüentemente, mais universal. *AC 5287*

Fala abstrata, isto é, fala separada do homem, é fala angélica, já que no Céu eles pensam na entidade à parte das pessoas. Pois lá, quando se pensa na pessoa, a sociedade que existe nessa entidade é excitada e, assim, o pensamento é determinado para aquela parte e fixado; pois, no Céu, onde há pensamento há presença, e presença levaria para si os pensamentos daqueles que estão na sociedade, e, assim, poderiam atrapalhar o influxo do Divino. É diferente quando eles pensam abstratamente a respeito da entidade; o pensamento difunde-se em todas as direções de acordo com a forma celestial que o influxo proveniente do Divino produz, e isso sem perturbação de qualquer sociedade. Pois se insinua nas esferas gerais das sociedades, e, nesse caso, não toca ou move alguém na sociedade, portanto, não desvia ninguém da liberdade de pensar de acordo com o influxo do Divino. Em suma, o pensamento abstrato pode permear todo o Céu sem espécie alguma de demora; mas o pensamento determinado para pessoa ou lugar é fixado e apreendido. *AC 8985*

AMOR

Vimos anteriormente a natureza do Amor Divino, mas como a natureza angélica recebe e responde ao amor do Senhor?

A natureza do amor do Senhor ultrapassa todo o entendimento humano e é inacreditável ao extremo para pessoas que não sabem que no amor celestial residem os anjos. Para salvar uma alma do Inferno, os anjos não se importam em dar suas vidas; de fato, se fosse possível, eles sofreriam o Inferno no lugar dessa alma. Conseqüentemente, sua alegria íntima é transportar para os céus alguém que se ergue da morte. Entretanto, eles confessam que aquele amor não se origina neles, mas que cada aspecto dele provém apenas do Senhor. *AC 2077^2*

O amor celestial não quer existir por si mesmo, mas por tudo, de forma a compartilhar tudo o que é seu com os outros. É nisso que consiste essencialmente o amor celestial. *AC1419*

ETERNIDADE

Em seu estado natural, o homem sente-se circunscrito pelo passar do tempo mensurável e freqüentemente tão influenciado pelo passado e preocupado com o futuro que a realidade do eterno presente lhe escapa.

Falei com os anjos a respeito da memória de coisas passadas e a ansiedade sobre o que está por vir, e fui instruído que, quanto mais interiores e perfeitos são os anjos, menos cuidado têm com o que é passado e menos pensam a respeito do que está por vir, e que também disso provém sua felicidade. Eles dizem que o Senhor lhes dá a todo momento o que pensar, e isso com felicidade e bênção, e que, assim, eles não têm ansiedades nem preocupações (...) mas, apesar de não se importarem com o que é passado e não se preocuparem com o que há de vir, têm ainda assim a mais perfeita lembrança do que é passado e a intuição do que está por vir, já que tanto o passado como o futuro estão em seu presente. *AC 2493*

Quando um homem se encontra em um estado de amor, ou de afeição celestial, está em um estado angélico, isto é, como se não estivesse no tempo, já que não há impaciência na afeição (...) pela afeição do amor genuíno, o homem é retirado das coisas corporais e mundanas, pois sua mente é elevada em direção ao Céu, e, assim, é retirado das coisas do tempo. *AC 3827*

Anjos (...) não sabem o que é um período de tempo, pois a atividade do Sol e da Lua com eles não produz divisões de tempo. Como conseqüência, eles não sabem qual é o ano ou o dia, mas apenas que estados e mudanças de estado são. *AC 488*[3]

Quanto mais interiores e perfeitos forem os anjos, menos memória do passado têm, e nisso consiste sua felicidade, pois, em todo momento, o Senhor garante-lhes o que é agradável, e com o que pensar e afeiçoar-se. *SD 2188*

Quando estados determinam tempo, então esse é apenas uma aparência. Pois estado de alegria faz o tempo parecer curto e estado de tristeza faz o tempo parecer longo. Disso, fica evidente que o tempo no mundo espiritual não é nada além de uma qualidade de estado. *DLW 73*

A eternidade (...) é manifestada continuamente por meio de tempo para aqueles que residem dentro do tempo (...) o presente com os anjos inclui passado e futuro juntos. Conseqüentemente, não têm ansiedade a respeito de coisas do futuro. *AC 1382*

LIBERDADE

O aparente paradoxo da liberdade angélica – aquele que, quanto mais está unido a Deus, mais está livre de expressar sua verdadeira individualidade – é explicado por Swedenborg.

A liberdade celestial consiste em ser levado pelo Senhor. *AC 9589*

Quanto mais distintamente um homem parece a si mesmo ser o seu mestre, mais claramente percebe que é do Senhor, pois quanto mais proximamente ele estiver conjugado ao Senhor, mais sábio se torna (...) os anjos do terceiro Céu, que são os mais sábios (...) chamam a isso liberdade; mas, para ser comandada por eles mesmos, chamam escravidão. *DP 44*

Já que tudo o que o homem faz livremente parece-lhe ser seu, pois foi produto de seu amor (...) segue-se que a conjunção com o Senhor faz com que pareça ao homem ser livre e, conseqüentemente, mestre de si mesmo; e quanto mais próxima for a conjunção com o Senhor, mais livre se vê e, conseqüentemente, mais parece ser mestre de si mesmo. Ele parece a si mesmo mais distintamente ser mestre de si porque o Amor Divino é tal que ele quer que o que lhe pertence possa ser de outro. *DP 43*²

PROPRIUM (EGO)

Contrariamente a alguns ensinamentos espirituais, o *proprium* ou ego não deve ser aniquilado nunca, mas apenas (e repetidamente) deixado de lado pela vida de Deus, por sua própria escolha. Essa é uma verdade do estado angélico após a morte como é nesta vida, pois sem *proprium* não há liberdade de escolha. Assim, os anjos são deixados perpetuamente livres para receber amor e sabedoria, em vez do autocentrismo do velho ego.

Anjos não são anjos por seu *proprium*. Seu *proprium* é exatamente como o do homem e esse é mau. A razão para o *proprium* dos anjos ser assim é porque todos eles foram homens, e o *proprium* adere a eles no nascimento. Ele só é removido, e na extensão em que é removido, para receber amor e sabedoria, isto é, o Senhor, neles próprios (...) O Senhor pode habitar com anjos apenas no que é Seu, isto é, naquilo que é Sua propriedade, o amor e a sabedoria, e não certamente no *proprium* do anjo que é mau. Conseqüentemente, é assim que o mal é removido enquanto o Senhor está neles, e enquanto são anjos. O ser angélico do Céu é o Amor e a Sabedoria Divinos. Esse Divino é chamado angélico quando está nos anjos. Daí, fica claro que anjos são anjos do Senhor, e não por eles mesmos. *DLW 114*

O estado angélico no Céu é tal que eles não querem e agem, nem mesmo pensam e falam, qualquer coisa deles mesmos ou de seu *proprium*. Nisso consiste sua conjunção com o Senhor (...) Essa situação com os anjos é o estado celestial propriamente dito e, quando eles estão nele, têm paz e descanso, e o Senhor também descansa; pois, quando estão conjugados com Ele, não trabalham mais, pois estão no Senhor. *AC 8495*³

INOCÊNCIA

O estado celestial é livre de culpa ou inocente, já que o Divino interior pode guiar e agir por intermédio de cada um, apesar de os anjos ainda sentirem como se estivessem decidindo e agindo por eles mesmos.

Como a inocência consiste em ser levado pelo Senhor e não por si mesmo, todos no Céu estão em inocência, pois os que estão lá amam ser levados pelo Senhor, sabendo que se levarem a si mesmos é serem levados pelo *proprium* que consiste em amar a si mesmo e também que aquele que ama a si mesmo não se incomoda de ser levado por outro. Portanto, enquanto um anjo estiver na inocência, permanecerá no Céu (...) aqueles que estão no mais íntimo do terceiro Céu (...) mais do que todos os outros, amam ser levados pelo Senhor como pequenas crianças por seu pai. Pela mesma razão, a verdade divina, que eles ouvem diretamente do Senhor ou mediada pela Palavra e pregação, transforma em sua vontade e realiza-a, dando-lhe vida (...) Esses anjos do Céu mais íntimo são os mais próximos do Senhor de quem têm a inocência. E estão tão separados do *proprium* que vivem, como se fosse, no Senhor. Na forma externa, eles parecem simples e, perante os olhos dos anjos dos céus inferiores, são como pequenas crianças, isto é, muito pequenas e pouco espertas, apesar de serem os mais sábios dos anjos dos céus; pois sabem que nada possuem de sabedoria deles mesmos, e reconhecer isso é ser sábio. O que eles sabem é como nada comparado com o que não conhecem; e eles dizem que saber, conhecer e perceber é o primeiro passo em direção à sabedoria. Esses anjos estão nus, porque a nudez corresponde à inocência. *HH 280*

O fato de a inocência ser o mais íntimo de todos os bens do Céu afeta tanto as mentes e, quando sentida por alguém – como quando um anjo do Céu mais íntimo se aproxima –, parece a ele que não é mais seu próprio mestre e sente-se enlevado por tal prazer que nenhum outro no mundo se compara a ele. *HH 282*

Inocência é um desejo de ser levado pelo Senhor e não por si mesmo. Conseqüentemente, enquanto um homem estiver em inocência, estará separado de seu *proprium*. *HH 341*

Inocência não atribui nenhum bem a si mesmo, atribui todo o bem ao Senhor (...) um anjo é uma criança sábia em todos os sentidos. *HH 278*[3]

PAZ

Todos os problemas do homem originam-se da crença nas ilusões do ego – que cada um é separado e autocontido, e o que está nele é dele. Pare de cair nesse erro, e os estados celestiais serão experimentados – especialmente a paz.

O estado de tranqüilidade e paz [no Céu] não vem de outra fonte além daquela reconhecida pelos anjos como "de onde tudo flui", e onde nem o mal nem o bem são seus; assim, ele está em paz e, ainda, como devia ser, apropria o bem. *SD (minor) 4696*

Aquele que é dotado com uma personalidade celestial também está em paz e descanso, pois confia no Senhor, acredita que nenhum mal o atingirá e sabe que a luxúria não o infestará. *AC 5660*

A paz tem nela confiança no Senhor, que Ele governa todas as coisas e tudo provê, e que Ele leva tudo a um bom fim. Quando um homem tem fé nessas coisas, está em paz, pois nada teme e nada o sobressalta. Um homem chega a esse estado à medida que ama ao Senhor (...) A paz é o mais íntimo de todo o prazer, mesmo naquilo que não é tão prazeroso ao homem que está no bem. Assim, enquanto elimina o que lhe é externo, revela um estado de paz e passa a ser permeado por satisfação, bênção e felicidade originadas no próprio Senhor. *AC 8455*

Que a inocência e a paz estão juntas no bem e em seus prazeres pode ser percebido nas crianças, que, por serem inocentes, estão em paz e, por isso, manifestam uma natureza plena de alegria. *HH 288*

SABEDORIA

O maravilhoso paradoxo é que, quanto mais sabemos, mais percebemos que nada sabemos. Conseqüentemente, os mais sábios são os mais humildes.

A sabedoria angélica envolve perceber se uma coisa é boa ou verdadeira sem racionalizar sobre ela. *AC 1385*

Que os anjos não têm nada de sabedoria e inteligência sobre si mesmos, eles próprios confessam abertamente; de fato, ficam indignados se alguém lhes atribui sabedoria e inteligência, pois sabem e percebem que tais coisas são tomadas do Divino, e afirmar que sejam suas caracteriza um crime de roubo espiritual (...) Os anjos estão continuamente sendo aperfeiçoados pelo Senhor, e ainda assim não terão atingido um estado em que sua sabedoria e inteligência possam ser comparadas às do Senhor; pois eles são finitos e o Senhor, infinito. *AC 4295*[2,3]

A sabedoria dos anjos é indescritível em palavras e só pode ser ilustrada por algumas coisas genéricas. Eles expressam em uma simples palavra o que o homem não pode em mil. Uma simples palavra angélica contém coisas inumeráveis que não podem ser expressas em palavras da linguagem humana. Pois em cada simples palavra falada pelos anjos há arcanos de sabedoria em contínua conexão, aos quais os conhecimentos humanos nunca chegam (...) Os anjos interiores também conseguem saber, pelo tom e por poucas palavras, toda a vida do interlocutor. *HH 269*

A genuína inocência é sabedoria. Pois, quando alguém é sábio, ama ser levado pelo Senhor, ou, o que dá na mesma, quando alguém é levado pelo Senhor, é sábio. *HH 341*

A seguinte observação sobre a natureza do pensamento é remanescente da teoria de Swedenborg sobre a origem da matéria em seu *Principia*, e é cada vez mais confirmada pela ciência atual.

Cada grão de seu pensamento e cada gota de sua afeição são divisíveis até o infinito, e, enquanto suas idéias forem divisíveis, você será sábio. Saiba então que todo dividido é cada vez mais múltiplo, e não cada vez mais simples; pois, quando dividido continuamente, aproxima-se cada vez mais do infinito no qual todas as coisas estão infinitamente (...) Uma simples idéia natural é o recipiente de inúmeras idéias espirituais (...) uma simples idéia espiritual é o recipiente de inúmeras idéias celestiais: conseqüentemente, a distinção entre sabedoria celestial, na qual estão os anjos do terceiro Céu, e a sabedoria espiritual, na qual estão os anjos do segundo Céu; e também entre a última e a sabedoria natural, nas quais estão os anjos do Céu inferior e também os homens. *CL 329*[2, 3]

ALEGRIA

Em sua profundidade interior, o espírito é composto de graus cada vez mais refinados. Quanto mais refinado e sensível um espírito se torna, maior será sua vibração interior. Isso é sentido como a mais maravilhosa e pura sensação interior, chamada alegria.

A alegria celestial em sua essência não pode ser descrita, pois está no mais íntimo da vida dos anjos (...) é como se o interior estivesse completamente aberto e disponível para a recepção do prazer e da bênção, que são distribuídos a toda pequena fibra e, assim, conseqüentemente, ao todo. Portanto, a percepção e a sensação dessa alegria são tão grandes que estão além de uma possível descrição. Pois aquilo que começa no íntimo flui e se espalha por cada detalhe particular, propagando-se sempre em crescente em direção ao exterior. *HH 409*

A alegria dos anjos vem do amor ao Senhor e da caridade ao próximo – isto é, quando manipulam coisas relacionadas ao amor e à caridade – e nesses há tanta alegria e felicidade que seria impossível exprimir (...) o Céu e a alegria do Céu surgem no homem quando sua preocupação consigo mesmo morre em suas atividades. *AC 5511*[2]

Quando quero transferir todo o meu prazer para outro, outro mais interior e completo flui continuamente em seu lugar; e quanto mais eu quiser, mais intenso será o fluxo; e percebe-se que isso vem do Senhor. *HH 413*

[Alegria] é o prazer de fazer alguma coisa que é útil para si e aos outros; e o prazer deriva sua essência do amor e sua existência, da sabedoria. O prazer do uso da alegria surgindo do amor por meio da sabedoria é a alma e a vida de toda a alegria celestial. Nos céus, há o companheirismo mais divertido, que alegra a mente dos anjos, é agradável a eles, delicia seus peitos e tonifica seus corpos. Mas eles aproveitam esses prazeres depois de terem agido com alegria no cumprimento de suas ocupações. Desse uso vêm a alma e a vida com todas as suas alegrias e prazeres e, se tirarmos essa alma ou vida, a alegria cessa, tornando-se primeiro indiferente, depois insignificante e, finalmente, triste e angustiante. *CL 5*[3, 4]

Prazeres paradisíacos exteriores são meros contentamentos dos sentidos do corpo; mas os interiores são prazeres das afeições da alma. A menos que esses últimos estejam nos primeiros, não haverá vida celestial neles, pois não existirá alma; e, sem sua alma correspondente, todo prazer cresce frágil e torpe e cansa a mente mais do que o trabalho. Nos céus, há jardins paradisíacos em todo lugar, e os anjos tiram a alegria deles, sendo esse contentamento uma alegria para eles enquanto o prazer da alma estiver nela. *CL 8*[4]

TRISTEZA

Sem a capacidade de sentir tristeza não pode haver a experiência da alegria – ela não seria reconhecida. Assim, a tristeza também faz parte da experiência angélica.

Os anjos estão tristes pela escuridão da Terra. Dizem que quase em nenhum lugar vêem luz e que os homens se prendem a falácias, confirmam-nas e, dessa forma, multiplicam falsidade sobre falsidade (...) os anjos lamentam as confirmações de fé separadas da caridade e as justificativas decorrentes. Também lastimam as idéias dos homens a respeito de Deus, anjos e espíritos, e a ignorância deles sobre o que são o amor e a sabedoria. *DLW 188*

Quando os anjos estão em seus *proprium*, começam a ficar tristes (...) mas disseram que sempre esperam retornar logo a seu estado anterior e, assim, ficar como eram no Céu. Pois, para eles, o Céu é separar-se de seu *proprium*. *HH 160*

PERCEPÇÃO

Para Swedenborg, percepção é ser capaz de ver, através do véu de ilusão do ego, a realidade interior.

Os anjos percebem que vivem pelo Senhor, e ainda, quando não refletidos na matéria, não têm outra idéia de que vivem por si mesmos. Mas há uma afeição universal pela qual eles sentem que uma mudança aconteceu quando se retraem do bem que emana do amor, ou da verdade da fé. Conseqüentemente, eles experimentam uma paz e felicidade que são indescritíveis quando percebem que vivem pelo Senhor. *AC 155*[2]

Anjos interiores percebem quanto vem do Senhor e quanto deles mesmos, mas não notam quando a felicidade vem do Senhor ou deles mesmos. *AC 2882*

Aqueles que estão no Céu têm sentidos muito refinados, isto é, uma visão e audição mais aguçadas (...) a luz do Céu, já que é verdade divina, possibilita que os olhos dos anjos percebam e distingam as coisas mais diminutas. Além disso, sua visão exterior corresponde à sua visão ou ao seu entendimento interior, pois, com os anjos, uma visão flui em outra como se ambas fossem uma; e isso lhes dá a grande precisão de visão. Da mesma maneira, sua audição corresponde à percepção, que pertence tanto ao entendimento como à vontade, e, em conseqüência, percebem no tom e nas palavras de um interlocutor as mais diminutas coisas de suas afeições e pensamentos; no tom, as que pertencem às suas afeições e, nas palavras, as dos pensamentos. Mas o resto dos sentidos dos anjos é menos refinado do que a visão e a audição, pois esses servem à sua inteligência e sabedoria, mas o restante deles, não; contudo, se os outros sentidos fossem igualmente refinados, eles se afastariam da luz e alegria de sua sabedoria e ficariam presos aos prazeres pertencentes aos vários apetites do corpo; e, enquanto tal situação prevalecesse, obscureceriam e enfraqueceriam o entendimento. *HH 462*^{a2}

Em todo objeto, aqueles que estão no Céu mais íntimo vêem o que é Divino, os objetos que percebem com seus olhos, mas as coisas divinas correspondentes fluem imediatamente em suas mentes e as preenchem com as bênçãos que afetam todas as sensações. Assim, perante seus olhos, todas as coisas parecem rir, brincar e viver. *HH 489*^{3}

ATITUDE

A chave para a atitude angélica é observar o bem e o amor naqueles que você encontra. Você só estará no Céu interior quando procurar e encontrar o Céu exterior.

As pessoas nas quais a caridade está presente não pensam em nada além do bem em relação ao próximo e não falam nada além do bem, e isso não para seu próprio interesse ou de quem precisa de algum favor, mas pelo Senhor trabalhando assim na caridade (...) São como anjos habitando com as pessoas (...) Os anjos não buscam nada além do bem e da verdade; e eles perdoam coisas relacionadas com o mal e a falsidade. *AC 1088*

Os anjos protegem o homem constantemente e vigiam os males e espíritos do mal que podem atingi-lo. Eles protegem até mesmo as falsidades e o mal de uma pessoa, pois sabem perfeitamente de onde isso vem – dos espíritos e gênios do mal. *AC 761*

Aqueles (...) que são como os anjos são desejosos de que, se possível, suas mentes sejam abertas, e que o que pensam possa ser claramente perceptível por todos; pois pretendem nada além do bem ao próximo, e se vêem o mal em alguém, perdoam-no. *AC 6655*

PODER

Como já poderíamos depreender, os anjos têm grande poder no mundo espiritual.

Qualquer obstrução [no mundo espiritual], que precise ser removida por ser contrária à ordem divina, é retirada pelos anjos apenas pela força da vontade ou pelo olhar. Assim, vi montanhas que eram ocupadas pelo mal serem derrubadas e, algumas vezes, estremecidas completamente como se fosse em um terremoto. *HH 229*

Quando um espírito do mal é simplesmente observado pelos anjos, desfalece. *HH 232*

Os anjos (...) têm o poder de restringir os espíritos do mal (...) Eles exercem seu poder principalmente na defesa do homem às vezes contra muitos infernos, e isso de milhares de maneiras. *AC 6344*^{4}

Ainda assim, eles são profundamente conscientes de que nenhum desses poderes lhes pertence.

Um único anjo é mais poderoso do que 10 mil espíritos do Inferno, e ainda assim não por ele, mas pelo Senhor. Ele tem esse poder do Senhor na medida em que acredita que não pode alcançar nada por si mesmo, e isso é o mínimo. Ele pode ter essa crença na medida em que "a humildade e a afeição em servir os outros" existem nele, isto é, enquanto o bem, que é essencialmente o amor pelo Senhor e a caridade para com o próximo, estiver presente nele. *AC 3417*[3]

Ele será tão mais poderoso quanto acreditar, quiser e perceber que todo o poder é do Senhor, e não dele mesmo, e, assim, que aqueles com poderes no Céu têm total aversão ao poder derivado de si. *AC 5428*[2]

Os anjos não têm qualquer poder originário deles mesmos, todo o seu poder vem do Senhor; e eles são poderes só enquanto souberem disso. Qualquer um entre eles que acredite ter poder dele mesmo torna-se instantaneamente tão fraco que não é capaz de resistir nem a um único espírito do mal. Por essa razão, os anjos não se dão qualquer mérito e têm aversão a louvor e glória a qualquer coisa que façam, atribuindo-a ao Senhor. *HH 230*

Entretanto, o poder angélico é de uma natureza muito diferente daquele que é entendido no mundo.

O poder espiritual é querer o bem para o outro e, assim sendo, transferir a ele aquilo que está conosco. *AE 79*[2]

HARMONIA E UNANIMIDADE

A importância de ter liberdade – em nossa verdadeira personalidade – está em destaque nos próximos ensinamentos. A harmonia não é um resultado de mesmice ou duplicação, mas de variedade.

O Céu angélico, resultado de uma coesão unitária, consiste em variedade infinita, onde ninguém é absolutamente como o outro; tanto a respeito da alma ou mente, ou das afeições, percepções e dos pensamentos, ou em relação às inclinações e intenções, ou ao tom de voz, expressões faciais, corporais, gestuais e muitas outras coisas. E, ainda que haja muitas miríades, foram e são arranjadas pelo Senhor em uma forma única na qual há completa unanimidade e concórdia. Isso não seria possível a menos que todos os anjos, sendo tão variados, fossem liderados universal e individualmente pelo Um. *CL 324*

A bênção consiste na unanimidade e na harmonia, de modo que tantos se vejam como sendo um (...) pois da harmonia de muitos existe o Um do qual há bênção e felicidade. E a concórdia na felicidade faz com que esta se duplique e triplique. *SD 289*

IX

MUNDO ESPIRITUAL

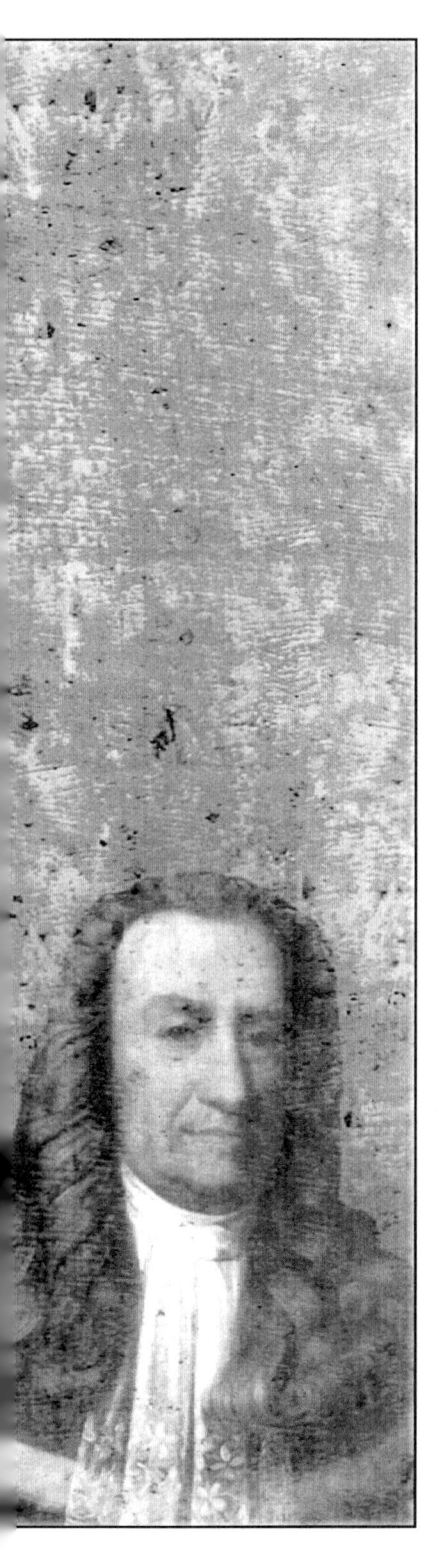

O mundo espiritual é essencialmente o da afeição e do pensamento. Ainda assim, ele se manifesta aos olhos do espírito em suas próprias formas correspondentes, apresentando um mundo que é experimentado pelos sentidos do corpo espiritual. Swedenborg chama a atenção para a aparente solidez e grande realidade desse mundo visível e perceptível, que é um espelho perfeito do estado atual do espírito que o vive.

As representações que ocorrem na outra vida são aparências. Mas são representações vivas, pois provêm da luz da vida. Essa é a Sabedoria Divina, que só é recebida do Senhor. Conseqüentemente, todas as coisas que vêm a ser dessa luz são reais, diferentemente daquelas que provêm da luz do mundo. Por essa razão, as pessoas na próxima vida disseram por diversas vezes que as coisas que possuíam naquele mundo eram reais, ao contrário daquelas que o homem tem, que não são reais. A razão para isso é que esse último está vivendo e, assim, não tem influência direta sobre sua vida, enquanto o primeiro não está vivendo e, assim, tem influência direta sobre ela. A exceção são as coisas que, pertencendo à luz do mundo, associam-se apropriadamente e por correspondências àquelas que são da luz do Céu. *AC 3485*

Ir, vir e partir não são nada mais do que mudanças de estado interior; mas, ainda assim, aos olhos dos espíritos e dos anjos, parecem exatamente como idas, vindas e partidas (...) Essas aparências são tão reais que todos os espíritos são inconscientes de que têm essa origem; nem querem saber que são dali; e os anjos do Céu sabem, mas não falam sobre isso. Isso provém da Divina Providência do Senhor, para que todos provem a si mesmos que têm autonomia para viver e agir por si. *SD 5646*

As coisas que existem no espiritual são ainda mais reais do que aquelas do mundo natural; pois aquilo que, na natureza, é adicionado ao espiritual está morto e não produz realidade, mas a diminui. *AE 1218³*

A pessoa-espírito alegra-se em todos os sentidos, externa e internamente, com o que gosta no mundo; ela vê como antes, ouve e fala como antes, cheira e prova como antes, e, quando tocada, sente o toque como antes; ela também luta, deseja, busca, pensa, reflete, ama, quer como antes; e alguém que agradava com estudos, lê e escreve como antes. Em uma palavra, quando um homem passa de uma vida para a outra, ou de um mundo para o outro, leva tudo o que possuía; assim, não se pode dizer que, depois de sua morte, que é apenas a morte do corpo terreno, o homem tenha perdido qualquer coisa que possuísse. *HH 461²*

Em geral, o que quer que apareça no Céu é completamente similar ao que existe em nosso mundo material em seus três reinos (...) Ouro, prata, cobre, estanho, chumbo, pedras preciosas e não-preciosas, terra, montanhas, vales, água, fontes e outras coisas pertencentes ao reino mineral aparecem lá. Parques, jardins, florestas, árvores frutíferas, gramados, plantações de milho, flores, ervas de todo tipo aparecem lá; também as coisas derivadas dessas como óleos, vinhos, sucos e outras coisas do reino vegetal. Animais da terra, aves do céu, peixes do mar, répteis de todos os tipos aparecem lá; e são tão parecidos com aqueles da nossa Terra que não podem ser distinguidos. Eu os vi e não pude perceber diferença. Mas, ainda assim, existe essa diferença: as coisas que aparecem no Céu são de origem espiritual; enquanto as que estão em nosso mundo são de origem material. *AE 926*

DIVISÃO TRÍPLICE

Três divisões principais podem ser distinguidas no mundo espiritual – uma área maravilhosa espelhando o espírito interior celestial (Céu), uma área medonha refletindo o espírito interior infernal (Inferno) e uma área intermediária (mundo dos espíritos) espelhando o espírito exterior natural (dentro do qual tanto o Céu como o Inferno, ou ambos, podem estar ativos).

O mundo espiritual consiste em Céu e Inferno; o Céu está acima da cabeça e o Inferno, abaixo dos pés, não no centro do globo que os homens habitam, mas sob os países no mundo espiritual. Esses são espirituais na origem e, conseqüentemente, não estão estendidos no espaço, mas apenas têm a aparência de estar. Entre o Céu e o Inferno está uma grande região intermediária, que, para aqueles que lá estão, parece um mundo completo (...) Todo homem em seu espírito está no meio dessa região, e isso apenas para que possa ter livre-arbítrio. Por essa região ser tão vasta, parece aos que nela estão como um enorme globo, chamado mundo dos espíritos (...) Não há purgatório no mundo dos espíritos. *TCR 475*[2-4]

Entre o Céu e o Inferno há um lugar intermediário, chamado mundo dos espíritos. Para esse mundo vêm todos imediatamente depois da morte; e, aqui, os espíritos interagem uns com os outros de forma similar àquela que tinham sobre a Terra. *DF 63*[3]

Todo homem depois da morte vai primeiro para o mundo dos espíritos, que é meio caminho entre o Céu e o Inferno, e lá passa os tempos, isto é, os estados, e de acordo com sua vida estar preparada ou para o Céu ou para o Inferno. Enquanto fica nesse mundo, é chamado um espírito. Aquele que for elevado desse mundo para o Céu é denominado de anjo, mas o que for ao Inferno é chamado de satã ou de demônio. Enquanto no mundo dos espíritos, aquele prestes a ir para o Céu é chamado de espírito angélico, mas o que estiver sendo preparado para o Inferno, de espírito infernal. Nesse meio tempo, o espírito angélico está conjugado com o Céu, e o espírito infernal, com o Inferno. Todos os que estão no mundo dos espíritos estão conjugados aos homens, pois os homens no interior de suas mentes estão da mesma maneira entre o Céu e o Inferno e, por meio desses espíritos, comunicam-se com o Céu ou com o Inferno de acordo com suas vidas. Deve-se saber que o mundo dos espíritos é uma coisa e o mundo espiritual, outra. O primeiro é aquele de que falamos aqui, mas o segundo inclui esse mundo e também o Céu e o Inferno. *DLW 140*

Todos no mundo espiritual têm seu *habitat* em certas regiões. No leste, permanecem os que estão no bem do Senhor, pois o Sol está lá e no centro dele está o Senhor. No norte, ficam aqueles que estão na ignorância; no sul, os que estão na inteligência; e no oeste, aqueles que estão no mal. Um homem é mantido nessa região intermediária entre o Céu e o Inferno não em corpo, mas em espírito; e, conforme seu espírito muda de estado, permanecendo perto do bem ou do mal, é transferido para um lugar ou situação em qualquer das regiões, entrando aí em contato com aqueles que lá residem. Entretanto, é preciso saber que o Senhor não transfere o homem para esse ou aquele lugar, mas o próprio espírito se encarrega das mudanças. *TCR 476*

Depois da morte, cada homem transporta-se para a sua região associando-se com aqueles cujos amores são similares aos seus; pois o amor une-o a todos como ele. E permite-lhe respirar livremente e continuar no estado de sua vida anterior. Entretanto, gradualmente, o espírito é privado de seus exteriores que não estiverem de acordo com seus interiores; e, quando isso acontece, o bom ascende ao Céu, e o mau leva-se para o Inferno, cada um para a companhia daqueles com quem está unido por seu amor predominante. *TCR 477*

ENTRADA INICIAL

Swedenborg descreve como experimentou o mundo espiritual pela primeira vez como se tivesse morrido e despertado no mundo dos espíritos. É interessante notar as incríveis similaridades com relatos recentes de experiências de "quase morte".

Fui levado a uma condição de inconsciência até onde poderia entender meus sentidos físicos – praticamente, isto é, em uma condição semelhante à de pessoas que estão morrendo. Entretanto, minha vida mais interior, incluindo o pensamento, permaneceu preservada para que assim percebesse e me lembrasse do que aconteceu, coisas que ocorrem a pessoas que são acordadas da morte. Percebi que a respiração física quase cessou; a respiração íntima do espírito persistiu, conjuntamente com um leve respirar do corpo. A seguir, foi estabelecida uma comunicação entre as batidas de meu coração e o reino celestial (já que esse reino corresponde ao coração no homem). Até mesmo vi anjos de lá, alguns a distância; e dois deles estavam sentados à minha cabeceira. Isso resultou na remoção de todas as minhas afeições pessoais, apesar de continuarem o pensamento e a percepção. Fiquei nessa condição por diversas horas. Então, os espíritos que estavam ao meu redor partiram, declarando que eu estava morto (...) Os anjos à minha cabeceira permaneceram em silêncio, e apenas seus pensamentos se comunicavam com o meu. Quando esses pensamentos são aceitos, os anjos sabem que o espírito da pessoa está em condição de ser levado para fora de seu corpo. (...) Percebi que os anjos tentaram primeiro descobrir quais eram meus pensamentos, se eram como os de pessoas que morrem e que normalmente se relacionam à vida eterna (...) Especialmente, permitiram-se que percebesse e sentisse que havia um puxar, uma espécie de drenar, dos elementos mais íntimos da minha mente – e até do espírito – para fora do corpo. Disseram-me que isso é feito pelo Senhor e que é a fonte da ressurreição. Quando anjos celestiais estão com alguém que tenha sido despertado, não o deixam; pois eles amam a todos e a cada um. Mas, quando o espírito é do tipo que não pode estar em companhia de anjos celestiais, quer se livrar deles. Quando isso acontece, vêm anjos do reino espiritual do Senhor que garantem ao espírito os benefícios da luz (...) mostraram-me também como isso acontece. Esses anjos, de alguma forma, enrolavam a pálpebra do olho esquerdo sobre o cavalete do nariz, de forma a manter o olho aberto e capaz de ver (...) Quando fazem isso, alguma coisa brilhante, mas nebulosa, é visível, diferentemente do que uma pessoa vê por entre sobrancelhas semicerradas quando acorda. Nesse ponto, a névoa brilhante mostrou-se a mim em uma cor celestial; mas disseram-me que essa cor varia. Depois disso, senti alguma coisa sendo suavemente desenrolada de minha face, o que fez surgir o pensamento espiritual. Esse desenrolar também é uma aparência que serve para descrever que a pessoa passou de um pensamento natural para um espiritual. Os anjos tomam o maior cuidado possível para prevenir o surgimento de qualquer conceito da pessoa despertada que não seja de característica amorosa. Então, dizem-lhe que ele é um espírito. Depois que foi dado o benefício da vida, os anjos espirituais oferecem ao novo espírito todo o serviço que ele porventura possa desejar naquela condição e o ensinam sobre as coisas que existem na outra vida, mas só na medida do que pode compreender. Se ele é do tipo que não quer ser ensinado, a pessoa que foi despertada busca livrar-se da companhia desses anjos. Mas, ainda, não são os anjos que o deixam; é ele que se afasta deles (...) Quando um espírito se afasta dessa maneira, é levado por bons espíritos que lhe oferecem todos os tipos de ajuda pelo tempo que ele desejar ficar na companhia deles. Mas, se sua vida no mundo foi de um tipo que torne a companhia de bons espíritos impossível, então ele busca se livrar deles também. Isso acontece conforme e com que freqüência for necessário, até que ele encontre o tipo de espíritos que se identifique completamente com sua vida, entre os quais ele encontra seu tipo de vida. *HH 449, 450*

Quando, depois da morte, um homem chega ao mundo espiritual, o que geralmente acontece no terceiro dia após o falecimento, parece-lhe que está vivo como no mundo, com roupas similares e com as mesmas companhias que tinha em seu lar (...) a razão de isso acontecer a todas as pessoas é que a morte não deve parecer como tal, mas como uma continuação da vida, de tal forma que o último ato da vida natural deve tornar-se o primeiro da vida espiritual; e, desse ponto, ele deve progredir em direção ao seu objetivo, que tanto pode ser o Céu como o Inferno. A razão do recém-morto encontrar essa semelhança em tudo é sua mente permanecer exatamente como era no mundo; e, como a mente não está confinada na cabeça, mas permeia todo o corpo, possui um corpo similar, pois este é um órgão da mente e trabalha sem interferência da cabeça. Portanto, a mente é o próprio homem, mas ele é então espiritual e não material; e, em virtude de após a morte ser o mesmo homem, ele se defronta, de acordo com os conceitos de sua mente, com coisas similares àquelas que possuía em sua casa no mundo. Mas isso só dura alguns dias (...) Quando os recém-chegados ao mundo espiritual estão nesse primeiro estado, os anjos vêm a eles para que se sintam bem-vindos, e a princípio são muito amáveis nas conversas com eles, desde que saibam que seus pensamentos não são diferentes do que eram quando ainda viviam no mundo anterior. *STW 163*

Todos, no mundo espiritual, abandonam os nomes de batismo e o nome de família, e são renomeados de acordo com suas qualidades. *Inv 41*

JULGAMENTO

Swedenborg descreve em termos gerais as mudanças que acontecem depois que os espíritos recém-chegados completam o primeiro estágio e o processo de julgamento começa. Esse, como percebido e experimentado por Swedenborg, é totalmente interno – isto é, cada um julga a si mesmo com a ajuda da luz da verdade interior. Para os fracos, esse processo é extremamente doloroso e eles tentam evitá-lo a qualquer custo, fugindo, se puderem, da luz da verdade e embrenhando-se na escuridão espiritual.

Assim que completada a primeira condição (a relacionada às preocupações relativamente exteriores), a pessoa-espírito é levada a uma condição voltada para seus conceitos interiores ou para as intenções e pensamentos mais íntimos – condição na qual ela estava envolvida no mundo quando abandonada em sua liberdade e solta em seus pensamentos. Ela entra inconscientemente nessa condição quando (como fazia no mundo) aproxima o pensamento da fala, ou o pensamento que dá origem à fala, em direção a seu pensamento mais íntimo, e permanece envolvida nesse último.

Um espírito nessa condição pensa com base em suas intenções, o que significa que medita sobre suas reais afeições de amor, quaisquer que elas possam ser, boas ou egoístas. Nesse ponto, seu pensamento promove uma unidade com a intenção – uma unidade que, de fato, dificilmente lhe parece pensamento, mas simplesmente uma pretensão.

Quando os espíritos estão nessa segunda condição, parecem-se exatamente como eram no mundo, e as coisas que fizeram e disseram são expostas. Pois, como fatores externos não estão no controle nesse ponto, expõem abertamente e tentam fazer coisas similares sem temer por sua reputação, como aconteceria se estivessem no mundo. Então, são também defrontados com seus males, para que possam mostrar-se aos anjos e bons espíritos como realmente são.

Quando espíritos malignos estão nessa segunda condição, é normal que sejam punidos freqüente e severamente, pois mergulham em todos os tipos de mal. Há muitos tipos de punição no mundo dos espíritos e não há favoritismo, independentemente se a pessoa foi um rei ou um escravo no mundo. Todo mal traz a sua penalidade correspondente com ele. Os dois andam atados. Assim, a pessoa envolvida com algum mal também está presa com a punição correspondente. Ninguém sofre ali a penalidade por causa dos males que fez no mundo, mas pelos males que está cometendo.

A razão para essas punições é que o medo delas é o único meio de controlar as coisas do mal nessa condição. Encorajamento não trabalha mais; nem ensinamento ou medo da lei e da reputação, pois o comportamento da pessoa provém agora de sua natureza, que não pode ser controlada ou quebrada, exceto por meio de punição. Bons espíritos, entretanto, não são castigados, mesmo se fizeram coisas más no mundo, pois seus males não retornam.

No curso dessa segunda condição, ocorre a separação dos espíritos malignos dos bons espíritos, pois, durante a primeira, eles estavam juntos (...) A separação do bem e do mal acontece de várias maneiras. Costumeiramente, ocorre levando-se os maus daquelas comunidades com as quais estiveram em contato por meio de seus bons pensamentos e afeições durante a primeira condição. Dessa maneira, eles são levados para aquelas comunidades que foram persuadidas pela sua aparência exterior, acreditando que não eram espíritos malignos. Normalmente, vão por um extenso circuito e, em todo lugar, são expostos aos bons espíritos como realmente são. Ao vê-los, os bons espíritos viram-lhes as costas; e, conforme esses se viram, os espíritos do mal que estão sendo levados também se viram aos bons, assumindo a direção que os levará à região em que a comunidade infernal está e que é seu destino.

A terceira condição de uma pessoa ou de seu espírito depois da morte é de instrução. Essa condição é apropriada às pessoas que estão entrando no Céu e tornando-se anjos, mas não para as que caminham para o Inferno, já que não podem ser ensinadas.

Ninguém pode ser preparado para o Céu a não ser por meio de vislumbres daquilo que é verdade e bem – e isso se dá mediante instrução. Isso acontece porque ninguém pode saber o que é bem e verdade no nível espiritual, ou o que é mal e falso, a menos que seja ensinado.

O trabalho de instrução é desenvolvido por anjos de muitas comunidades (...) Os lugares onde ocorrem as instruções estão no norte e são variados, arranjados e estabelecidos de acordo com o gênero e a espécie de bens celestiais sobre os quais os indivíduos serão ensinados, de forma que cada um deles aprenda de conformidade com o próprio caráter intrínseco e a capacidade de receber (...) Para esses lugares, o Senhor traz os bons espíritos que serão ensinados depois de sua segunda condição no mundo dos espíritos ser completada. Mas isso não se aplica a todos, pois pessoas ensinadas no mundo já foram preparadas lá para o Céu pelo Senhor e são trazidas ao Céu por outra rota. Alguns vêm imediatamente depois da morte. Outros passam por um breve período com os bons espíritos, em que os elementos mais crus de seus pensamentos e afeições são colocados à parte; elementos que cultivaram por conta de prestígio e riqueza no mundo que são purificados por essa remoção. Outros são primeiro isolados, em um lugar chamado "Terra Inferior". Alguns têm experiências terríveis nesse local. São pessoas que se estabeleceram em falsas noções, mas ainda assim tiveram vidas voltadas para o bem. Pois falsas noções aderem tenazmente; e as verdades não são vistas e, portanto, não podem ser aceitas até que as falsas noções sejam afastadas.

Uma vez que os espíritos ficaram prontos para o Céu pelo ensinamento nos lugares mencionados acima (...) são vestidos em roupas angelicais, a maioria das quais é branca como linho. Assim vestidos, são trazidos para um caminho que leva ao Céu e encontram anjos guardiões. Então, são recebidos por alguns outros anjos e apresentados às comunidades em muitas formas de felicidade *HH 502, 503, 507, 509, 511, 512. 513, 519*

APARÊNCIAS DO CÉU

O que quer que apareça no mundo espiritual é uma representação do estado espiritual do observador ou correspondência dele. Todos os espíritos que estão em um estado de paz interior, harmonia e desejo de cooperar manifestam-se conseqüentemente em comunidades celestiais pacíficas, harmoniosas e cooperativas. Seus agrupamentos refletem a similaridade da condição espiritual, ou, como atesta uma grande lei espiritual universal: "Semelhante atrai semelhante".

Os anjos de qualquer um dos céus não estão juntos em um único lugar, mas divididos em sociedades maiores ou menores de acordo com as diferenças do bem de amor e de fé de que dispõem, aqueles que se assemelham formando uma sociedade. *HH 41*

Todos os que formam uma sociedade angélica assemelham-se em um semblante geral, mas não em outras particularidades. *HH 47*

Nos céus, há sociedades grandes e pequenas. As maiores consistem em miríades de anjos; as pequenas, de alguns milhares; e as menores, de algumas centenas. Também há alguns solitários, casa por casa, como se fosse família por família. Mesmo vivendo dessa forma dispersa, estão dispostos como aqueles que vivem em sociedades, especificamente o mais sábio no meio e os mais simples nas pontas. *HH 50*

Todo tipo de coisas no Céu deve ser visto e experimentado, mas, novamente, todas só aparecem porque são uma reflexão do estado íntimo dos anjos.

A natureza dos objetos que são visíveis aos anjos nos céus (...) é como a das coisas da Terra, mas mais perfeitas na forma e mais abundantes em quantidade. *HH 171*

Nos céus, todas as coisas vêm à existência pelo Senhor de acordo com suas correspondências com o íntimo dos anjos. *HH 173*

Desde que todas as coisas que correspondem ao íntimo também o representam, elas são também chamadas representativas e, por variarem de acordo com o estado interior dos anjos, são também denominadas aparências. No entanto, as coisas que aparecem ante os olhos dos anjos nos céus, e que são percebidas por seus sentidos, mostram-se e são percebidas como se fossem verdadeiras aos anjos como parecem as coisas da Terra aos homens; não apenas isso, mas muito mais clara, distintiva e perceptivelmente. Aparências desse tipo são chamadas no Céu de reais, pois têm existência real. Aparências que não são reais também ocorrem, e, mesmo aparecendo, não correspondem a interiores. *HH 175*

As vestes que os anjos usam (...) correspondem à sua inteligência, e assim, todos no Céu são vistos vestidos de acordo com sua sabedoria, e pelo motivo de um suplantar outro pela inteligência, assim também as vestes de um sobressaem perante o outro. Os mais sábios usam roupas que resplandecem como se inflamados, outros têm vestes que brilham como se iluminados. Os menos inteligentes têm vestes brilhantes e brancas sem tal refulgência, e os ainda menos inteligentes têm vestes de várias cores. Porém, os anjos do Céu mais íntimo estão nus. *HH 178*

Os anjos têm habitações e estas diferem de acordo com o estado de vida de cada um. Elas são magnificentes para os mais elevados em dignidade e menos para aqueles em estados inferiores. *HH 183*

Suas habitações são exatamente iguais às que tinham na Terra e são chamadas casas, mas mais bonitas. Nelas, há câmeras, salas internas e dormitórios em grande número. Também há jardins ao redor delas, flores e gramados. Se vivem em sociedades, suas casas são próximas umas das outras, lado a lado, arrumadas na forma de uma cidade, com ruas, estradas e praças públicas exatamente como as cidades de nossa Terra. *HH 184*

Vi os palácios do Céu, tão magníficos que é impossível descrevê-los. Acima, resplandeciam como se fossem feitos de ouro puro e, abaixo, como se tivessem pedras preciosas (...) No lado sul, havia parques onde tudo também brilhava, em alguns lugares reluzindo como se feitos de prata, e as frutas, como se feitas de ouro, enquanto as flores em seus canteiros formavam como se fossem arco-íris com suas cores. *HH 185*

Os anjos que compõem o reino celestial do Senhor habitam, em sua maior parte, lugares mais altos que se parecem com montanhas que se elevam do chão. Os que fazem parte do reino espiritual do Senhor habitam locais menos elevados que parecem colinas, enquanto os anjos que estão nas partes inferiores do Céu habitam lugares que parecem rochedos de pedra. *HH 188*

O Senhor é visto como um Sol, não no Céu, mas mais alto acima dos céus, e não a pino, ou no zênite, mas ante a face dos anjos em uma altura mediana (...) É visto de uma forma por aqueles que O recebem com o bem do amor, e de outra por aqueles que O recebem com o bem da fé. Aqueles que O recebem com o bem do amor vêem-no como um sol, aceso e flamejante, de acordo com a recepção. Esses estão no Seu reino celestial. Aqueles que O recebem com o bem da fé vêem-no como uma lua, branco e brilhante, de acordo com a recepção. Esses estão em Seu reino espiritual. *HH 121*

APARÊNCIAS DO INFERNO

A situação nos infernos não é tão simples como nos céus, onde a verdadeira luz revela sempre formas de realidade. Nos infernos, da falsa luz do ego surge a desilusão da auto-sabedoria, que impede que a realidade apareça por meio de completa escuridão, feiúra e devastação – a menos que a luz do Céu surja em qualquer momento –, o que, por causa daqueles nessa condição, não é freqüente.

Os infernos estão em todo lugar, tanto embaixo de montanhas, colinas e rochedos quanto debaixo de planícies e vales. As aberturas ou portões para os infernos que estão debaixo das montanhas, colinas e rochedos parecem à vista como buracos e fendas nas rochas, alguns grandes e extensos, outros estreitos e pequenos, e muitos deles escarpados. Todos eles, quando se observa seu interior, parecem escuros e sombrios; mas os espíritos infernais que estão neles têm luminosidade próxima de um carvão em brasa. Seus olhos são adaptados para receber essa luz, uma vez que, durante sua vida no mundo, estiveram em espessa obscuridade em relação às verdades divinas, já que as negavam e andavam em uma espécie de luz de falsidades, pois a elas se ligavam. *HH 584*

As aberturas ou portões para os infernos que estão sob as planícies e vales se apresentam aos nossos olhos com aspectos diferentes. Alguns se assemelham aos que se encontram sob as colinas e rochedos; outros, a cavernas ou covis; outros, a grandes precipícios e redemoinhos; alguns se assemelham a pântanos; e outros, a lagos infectos. Todos eles estão cobertos e não se abrem, exceto quando espíritos do mal do mundo dos espíritos se aproximam; e, quando abrem, expelem alguma coisa como fogo e fumaça, como o que é visto de edifícios em chamas, ou como uma chama sem fumaça, ou como fuligem saindo de uma chaminé, ou como uma espessa nuvem nevoenta (...) Os espíritos infernais não vêem nem sentem essas coisas, pois, quando nelas, estão em suas próprias atmosferas e, assim, no gozo pleno de sua vida; e isso porque essas coisas correspondem aos males e falsidades nos quais eles estão especificamente, o fogo correspondendo ao ódio e à vingança; fumaça e fuligem, às falsidades; chamas, ao males do amor por si; e uma nuvem nevoenta, às falsidades provenientes desse amor. *HH 585*

Esse fogo ou calor infernal é transformado em frio intenso quando o calor do Céu flui; e, então, aqueles que estão nele tremem como os acometidos por intensa febre, e ficam internamente combalidos por estar em direta oposição ao Divino; e o calor do Céu, que é Amor Divino, extingue o calor do Inferno, que é amor egoísta, e, com isso, o fogo de sua vida; e essa é a causa de tanto frio e conseqüente tremor e fraqueza. Isso é acompanhado por forte escuridão, resultando em loucura e cegueira. Mas isso raramente ocorre e só acontece quando excessos crescem além da medida e precisam ser reprimidos. *HH 572*

Quando um espírito, de sua vontade e livre escolha, dirige-se a seu Inferno e entra nele, é recebido a princípio de maneira amistosa, o que o faz acreditar que está entre amigos. Mas isso persiste por apenas algumas horas. No meio tempo, exploram sua astúcia e habilidade conseqüente; e, depois disso feito, começam a infestá-lo, por diversos métodos, e com maior severidade e veemência crescente. Consegue-se isso introduzindo-o mais interior e profundamente no Inferno; pois, quanto mais interior e profundo for o Inferno, mais malignos são os espíritos. Depois dessas infestações, começam a tratá-lo cruelmente por meio de punições, e isso continua até ser ele reduzido à condição de um escravo. Mas rebeliões são constantes ali, já que todos querem ser os maiores e consomem-se com o ódio contra os outros; e, em razão disso, novos levantes ocorrem, e, assim, uma cena muda para outra e aqueles que foram transformados em escravos são encaminhados ao comando de um novo demônio para subjugar outros; aqueles que se recusam a submeter-se e a obedecer são atormentados de várias formas; e assim continuamente. Tais desgraças são os tormentos do Inferno, e chamados de fogo do Inferno. *HH 574*

DESTINO

Visto que a alma só foi criada para tornar-se parte especial do Grande Homem, todos têm uma importância predeterminada. Um homem pode recusá-la, tolamente, mas aceitá-la é o Céu e recusá-la, o Inferno.

O conhecimento, ou poder, sobre os meios pelos quais um homem pode ser salvo não é privado de ninguém que queira ser libertado. Daí, conclui-se que todos estão predestinados ao Céu, e ninguém ao Inferno. *DP 329*[3]

O Amor Divino está em todo homem, tanto no fraco como no bom; conseqüentemente, o Senhor que é o Amor Divino não pode agir diferentemente de como um pai na Terra trata suas crianças, e infinitamente mais, pois o Amor Divino é infinito; e Ele também não pode abandonar, pois a vida de todos deriva d'Ele. Ele parece abandonar o fraco; mas é o fraco que O renuncia, enquanto Ele continua a levá-lo com amor (...) Os meios de salvação foram oferecidos a todos, e o Céu é tal que, para todos que vivem no bem, independentemente da religião que professam, há um lugar lá (...) aqueles que nasceram fora da Igreja são homens como os que viveram nela, tendo ambos a mesma origem celestial, e são igualmente almas vivas e imortais. Eles também têm uma forma de religião da qual aprendem que há um Deus e que precisam viver no bem; e aquele que conhece Deus e vive no bem torna-se espiritual em seu próprio grau e é salvo (...) Salvação não vem a alguém porque o Senhor é conhecido dele, mas porque ele vive de acordo com os mandamentos do Senhor; e o Senhor é conhecido de todos que têm consciência de Deus, pois o Senhor é o Deus do Céu e da Terra. *DP 330*[2-6]

CRIANÇAS NO CÉU

Alguns dos ensinamentos mais lindos e reconfortantes de Swedenborg emergem de suas experiências espirituais relacionadas às crianças no Céu.

Crianças pequenas que morrem são exatamente pequenas crianças na outra vida, tendo igualmente uma mente infantil, uma mesma inocência na ignorância e uma mesma meiguice em todas as coisas. Elas estão nos rudimentos de uma capacidade de tornar-se anjos, pois crianças pequenas não são anjos, mas tornam-se anjos. Pois qualquer pessoa que parte deste mundo fica em um estado como aquele de sua vida, uma criança pequena como uma pequena criança, um menino no estado de um menino, um jovem ou um homem; mas, subseqüentemente, o estado de cada um é modificado. *HH 330*

O estado de crianças pequenas na outra vida ultrapassa de longe a situação delas no mundo, pois elas não são revestidas de um corpo mundano, mas de um como o de um anjo. *HH 331*

Tão logo as crianças pequenas são ressuscitadas, o que acontece imediatamente depois da morte, são levadas ao Céu e confiadas a mulheres angelicais que, em sua vida corpórea, amaram meigamente as crianças e ao mesmo tempo a Deus. Pelo motivo de elas, em sua vida terrena, terem amado todas as crianças com uma espécie de meiguice materna, recebem-nas como se fossem suas; enquanto as crianças, por meio de uma disposição implantada, amam-nas como se fossem suas próprias mães. Há quantas crianças elas quiserem a seu cargo conforme sua afeição espiritual por elas. *HH 332*

> Entretanto, já que as crianças devem ter ego, como qualquer um, então, mesmo no outro mundo, elas ainda são inclinadas a desejar e agir por elas mesmas, sozinhas em isolamento, o que Swedenborg define como mal.

[Crianças] estão igualmente no mal, e, de fato, não há nada que não o mal; mas, como os anjos, elas são livradas do mal e mantidas no bem pelo Senhor, de maneira que se vejam no bem por elas mesmas. Por essa razão, quando pequenas crianças se tornam adultos no Céu, para que não tenham falsas idéias sobre si, de que o bem lhes pertença por elas mesmas e não pelo Senhor, elas são deixadas em seus males que herdaram até que saibam, conheçam e acreditem na verdade da matéria. *HH 342*

A inteligência e a sabedoria fazem um anjo, e enquanto uma pequena criança não possui isso não é um anjo, mesmo que esteja com os anjos; mas, tão logo se torne inteligente e sábia, torna-se anjo. De fato, fiquei admirado de elas não aparecerem como pequenas crianças, mas como adultos, pois não estão mais em um gênio infantil, mas num gênio angelical mais maduro. O que traz isso é a inteligência e a sabedoria. A razão de pequenas crianças parecerem mais maduras, à medida que são aperfeiçoadas na inteligência e na sabedoria, é que essas são nutrientes espirituais essenciais(...) mas é necessário saber que, no Céu, as pequenas crianças avançam apenas até a juventude, e assim permanecem pela eternidade. *HH 430*

GRANDE HOMEM (HUMANO UNIVERSAL)

> Nos detalhes da natureza do Grande Homem, podem ser vistas, melhor do que em qualquer outro dos ensinamentos espirituais de Swedenborg, suas previsões e seus estudos fisiológicos anteriores. O conceito completo é seguramente uma das maiores, mais abrangentes e mais significativas visões espirituais.

Que o Céu em seu complexo todo assemelha-se a um homem é um *arcanum* ainda sem noção no mundo, mas conhecido muito bem nos céus. Saber disso e das coisas que se relacionam é a porção principal da inteligência dos anjos (...) já que eles sabem que todos os céus com suas sociedades assemelham-se a um homem, chamam o Céu de Grande e Divino Homem – Divino porque é o Divino do Senhor que faz o Céu. *HH 59*

Os seres humanos por todo o mundo têm uma posição no Grande Homem, isto é, no Céu, ou fora dele, no Inferno. Eles têm essa posição de conformidade com suas almas, ou, o que dá no mesmo, com o espírito que continuará a viver depois da morte do corpo. Enquanto vive no mundo, não tem consciência de estar no Céu ou no Inferno, mas, independentemente disso, ele está lá e de lá é governado. *AC 3644*

Na cabeça do Grande Homem, que é o Céu, estão aqueles enamorados do Senhor, e são chamados celestiais; mas no corpo, do peito até a genitália do Grande Homem, que está no Céu, encontram-se os enamorados do próximo, e são chamados espirituais. Mas nos pés do Grande Homem, que é o Céu, permanecem os que estão na fé da caridade e são chamados naturais. *AE 708*

A Igreja, na Terra, está perante o Senhor como um Homem. Também dividida em sociedades e cada uma delas é um Homem; adicionalmente, todos os incluídos nesse Homem estão dentro do Céu, mas aqueles fora dele estão no Inferno. A razão para isso já foi mencionada, visto que todo homem que pertence à Igreja é também um anjo do Céu, pois se torna um anjo depois da morte. A Igreja, principalmente na Terra, junto com os anjos, forma não apenas o interior desse Homem, mas também seu exterior, que é chamado cartilaginoso e ósseo. A Igreja forma isso porque os homens na Terra são dotados de um corpo, no qual o derradeiro espiritual está vestido com o natural, e isso constitui a conjunção do Céu com a Igreja e vice-versa. *AE 1222³*

No Céu, há um único influxo que é recebido por todos os indivíduos de acordo com suas próprias disposições (...) e, apesar de haver apenas um influxo, tudo age e continua como um. E isso acontece pelo amor mútuo compartilhado pelos que estão no Céu. *AC 1285²*

Uma forma leva o uno à mais perfeita proporção, pois as coisas que entram em sua constituição são distintamente diferentes, mas mesmo assim unidas. *DP 44*

Mas o que acontece com aqueles espíritos que, por meio de sua livre escolha, não optaram pelo caminho celestial?

Na visão do Senhor, toda a raça humana é como um Homem (...) não que esses coletivamente pareçam com isso, mas os usos que realizam. Esses parecem coletivamente como um Homem perfeito e lindo cujos usos são bons usos, isto é, aqueles que os realizam pelo Senhor (...) Por outro lado, aqueles que realizam coisas não pelo mérito delas, mas deles próprios ou do mundo, também aparecem perante o Senhor como um Homem, mas um homem imperfeito e deformado.

Fica evidente a partir disso que o Senhor considera os homens do mundo individualmente de acordo com suas obras e, coletivamente, conforme as ações coordenadas na forma do Homem. Por ações, queremos dizer ações pertinentes a toda função ligada ao ofício e à atividade do homem. Essas ações são bons trabalhos aos olhos do Senhor. Aqueles em reinos que amam as ações de seu ofício porque são úteis aparecem coletivamente como um homem-anjo; enquanto aqueles que amam as ações do trabalho pelo prazer que delas podem tirar, separadas de sua utilidade, aparecem coletivamente como homem-demônio. Aqueles mercadores que amam os negócios e a riqueza por amor ao negócio e, ao mesmo tempo, observam a Deus estão entre os homens-anjo. Mas os que amam o negócio e a riqueza por amor a si mesmos, apenas, estão entre os homens-demônio. *DL vii*

X

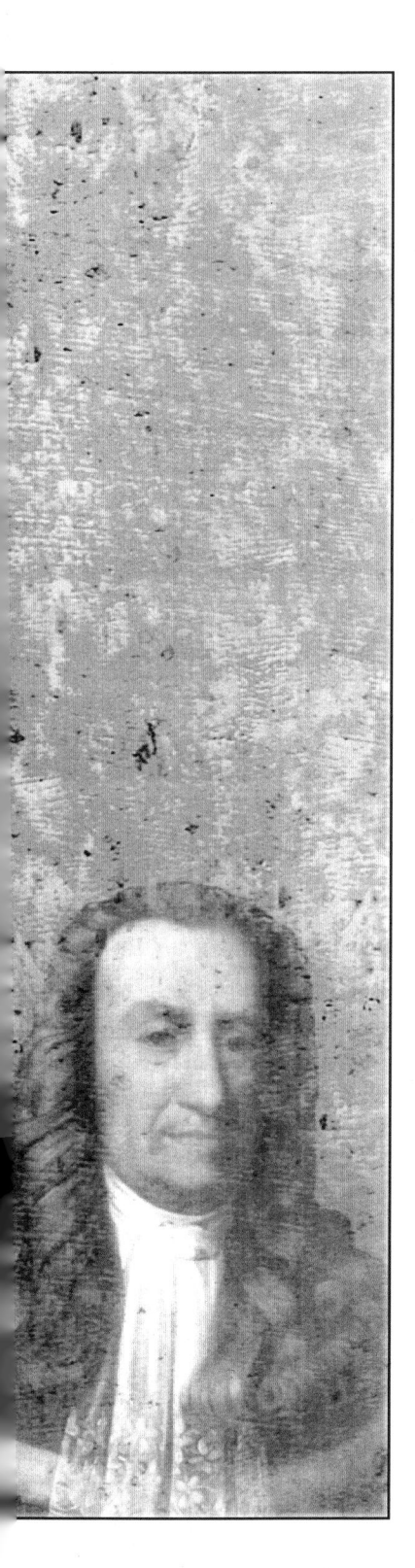

SEXUALIDADE E RELACIONAMENTO CONJUGAL

Apesar de Swedenborg nunca ter se casado, há muitas evidências em seus escritos de que ele apreciava a companhia feminina e tinha um grande entendimento e gosto pelas qualidades e pelos atributos femininos. Seu *Journal of Dreams* (Jornal de Sonhos), bem como seus trabalhos fisiológicos, mostram que ele discutia experiências sexuais, quando apropriado, de maneira franca e aberta. No entanto, as profundas percepções que estava apto a oferecer, a respeito da natureza distintiva das qualidades do masculino e do feminino, não derivam de sua experiência natural, mas da extrapolação de suas percepções sobre os fundamentos e a origem dos sexos.

O assunto principal no trabalho de Swedenborg *Conjugial Love* (Amor Conjugal) trata de como essa natureza distintiva se comporta e, ainda, o que acontece quando essas qualidades são distorcidas. Mais uma vez, a visão de Swedenborg é precursora de uma descoberta mais recente da neurologia e da psicologia – que os dois lobos do cérebro estão respectivamente associados com duas maneiras muito diferentes de a mente perceber o mundo.

Apesar de, na aparência, não estar diretamente relacionado com o assunto sexo, devemos atentar primeiro para esse fenômeno.

CARACTERÍSTICAS DO CÉREBRO DIREITO E ESQUERDO

Uma das principais coisas que Swedenborg percebeu em seus estudos fisiológicos foi a separação do cérebro em duas metades distintas, apesar de conectadas. Em nível psicológico, ele viu uma correspondência entre a vontade e o entendimento da mente e, em nível espiritual, entre o amor e a sabedoria. Amor é a dinâmica invisível da realidade subjacente holística, enquanto a sabedoria é a consciência do amor percebido por meio de seus efeitos. Em um nível inferior do espírito, a sabedoria aparece em uma forma inferior como a verdade percebida intelectualmente, ou o entendimento da verdade.

O lado direito do cérebro é o leito ou receptáculo do amor e o esquerdo, o leito ou receptáculo da sabedoria. *DW iii4*

As faculdades intelectuais pertencem ao hemisfério esquerdo do cérebro e a vontade, ao direito. *AC 644*

O lado esquerdo do cérebro corresponde às coisas racionais ou intelectuais, mas o direito, às afeições ou coisas relacionadas à vontade. *AC 3884*

Aquelas que correspondem ao lado direito do cérebro são as que estão na vontade do bem e, assim, na vontade da verdade. Aquelas que correspondem ao lado esquerdo do cérebro são as que estão no entendimento do bem e da verdade e, dessa forma, afeiçoadas a eles. *AC 4052*

NATUREZA DISTINTIVA DOS SEXOS

Mesmo que Swedenborg não faça ligação explícita, há uma correlação entre a sua distinção das funções entre os dois lobos cerebrais e os dois sexos. Ele vê a mente masculina mais ligada ao "cérebro esquerdo" (intelectual) e a mente feminina mais ligada ao "cérebro direito" (intuitiva).

A afeição do masculino (...) está voltada para o aprendizado, o entendimento e a sabedoria – afeição pelo aprendizado na infância, pelo entendimento na adolescência e pela sabedoria da juventude até a velhice; por tudo isso, é claro que sua natureza ou disposição inata inclina-se para a formação de um entendimento; conseqüentemente, ele nasce para tornar-se intelectual. Porém, como isso não pode ser atingido a não ser pelo amor, então o Senhor adiciona amor a ele de acordo com sua capacidade de recepção, isto é, conforme a intenção de tornar-se sábio. De sua aplicação a essas coisas intelectuais ou naquelas em que sobressai o intelectual ou predomina o entendimento, a maioria das quais é retórica e aplicável ao uso público, predomina sempre o entendimento. Disso é que as ações de sua vida, entendidas como meios de vida, são racionais ou gostaria que fossem. A racionalidade masculina é conspícua em todas as suas virtudes. *CL 90*[2, 3]

No masculino, o íntimo é amor e sua vestimenta, a sabedoria, ou, o que é a mesma coisa, ele é amor velado com sabedoria; e no feminino, o íntimo é aquela sabedoria do masculino, e sua vestimenta, o amor. Entretanto, esse amor é feminino, e é dado pelo Senhor à esposa por meio da sabedoria do esposo, enquanto o amor anterior é masculino e constitui o amor de crescer sábio, e é dado pelo Senhor ao marido de acordo com sua percepção de sabedoria. Conclui-se que o masculino é sabedoria do amor e o feminino, o amor dessa sabedoria. Portanto, na criação, foi implantado em cada um o amor de conjunção que os tornará unos. *CL 32*

O masculino percebe do entendimento e o feminino nota pelo amor; e o entendimento percebe coisas que estão acima do corpo e além do mundo, sendo a essas que se estende a visão espiritual e racional, enquanto o amor não vai além daquilo que sente. Quando vai além, faz isso em conjunção com o entendimento masculino estabelecido desde a criação, pois entendimento pertence à luz e amor, ao calor, e o que pertence à luz é visto e o que pertence ao calor é sentido. *CL 168*

O masculino nasce na afeição do saber, entender e tornar-se sábio, e o feminino nasce no amor, conjugando-se com a afeição no masculino. *CL 33*

O masculino nasce para tornar-se o entendimento e o feminino, para tornar-se um desejo amando o entendimento masculino; daqui, conclui-se que a conjunção conjugal é uma conjunção do desejo da esposa com o entendimento do marido e, reciprocamente, do entendimento do homem com a vontade da mulher. *CL 159*

ORIGEM DO AMOR *CONJUGIAL*

Adicionando um "i" ao antigo termo legal *conjugal*, Swedenborg cunhou uma nova palavra – *conjugial*, que ele usa para descrever a qualidade do amor que une um casal em coração e mente, tornando-o um na vida.

A origem do amor verdadeiramente *conjugial* é o amor do Senhor em relação à Igreja, e, por isso, o Senhor é chamado, na Palavra, de Noivo e Marido; e a Igreja, de Noiva e Esposa (...) A conjunção do Senhor com o homem da Igreja é a conjunção do bem e da verdade. Do Senhor provém o bem, e do homem, a verdade, e daí a conjunção chamada o casamento celestial, do qual deriva a existência do verdadeiro casamento *conjugial* entre dois parceiros casados, que estão em tal conjunção com o Senhor (...) Essa conjunção ou casamento foi então estabelecido com a criação. O homem foi criado para ser um entendedor da verdade e a mulher, para ser uma afeição pelo bem; conseqüentemente, o homem é uma verdade e a mulher, um bem. Quando o entendimento da verdade que está no homem se torna um com a afeição pelo bem que está na mulher, há uma conjunção de duas mentes em uma. Essa conjunção é o casamento espiritual do qual desce o amor *conjugial*. Pois, quando duas mentes estão conjuntas de forma a serem como uma, há amor entre elas; e esse amor, que é o do casamento espiritual quando desce ao corpo, torna-se o amor do casamento natural. *AE 983²*

O amor *conjugial* é o amor dedicado a um [membro] do sexo [oposto] e que os faz um. O amor dirigido a muitos é natural, pois o homem o tem em comum com os animais e os pássaros, e esses são naturais; mas o amor *conjugial* é espiritual, peculiar e próprio dos homens, pois esses foram criados e nasceram para se tornar espirituais. *CL 48*

Todos os prazeres, desde os primeiros até os últimos, estão reunidos no amor *conjugial* por causa da excelência de seu uso acima de qualquer outro. Seu uso é a perpetuação da raça humana e, assim, dos céus angélicos; e, em virtude de esse uso ser o fim dos fins da criação, conclui-se que todos os estados de bênção, felicidade, prazer, encanto e deleite – que podem ser conferidos pelo Senhor ao homem – estão agrupados nesse seu amor. *CL 68²*

Visto que o verdadeiro amor *conjugial* unifica as almas e os corações dos dois, então são unidos com amizade e, portanto, com confiança, e faz deles *conjugiais*. *CL 334*

Os estados de [amor *conjugial*] são inocência, paz, tranqüilidade, amizade íntima, total confiança e um desejo de *animus** e de coração para fazer o bem aos outros; e, de tudo isso, a bênção, a felicidade, o deleite e o prazer; e da eterna emanação disso, a felicidade celestial (...) a natureza do amor é tal que ele deseja estar em comunhão com aquele que ama de coração, e também para conferir-lhe alegria, pois isso é garantia de alegrias para si. Isso é ainda mais verdade no que diz respeito ao Amor Divino que está no Senhor em relação ao homem que Ele criou como receptáculo de amor e sabedoria proveniente d'Ele mesmo. E por Ele tê-lo criado para obter isso – o homem para receber sabedoria e a mulher, o amor dessa sabedoria –, então, de seu mais profundo íntimo, o Senhor lhes infundiu o amor *conjugial*, e, conseqüentemente, conclui-se que aqueles que estão verdadeiramente no amor *conjugial* são apenas recipientes. Neles, Ele pode reunir todas as coisas abençoadas, felizes e agradáveis que juntamente com a vida procedem e fluem apenas de Seu Amor Divino por meio de Sua Divina Sabedoria. *CL 180*

O verdadeiro amor *conjugial* é a união de duas pessoas até o interior de seus pensamentos e vontades ou de suas verdades e bens; pois a verdade pertence ao pensamento e o bem é da vontade. Pois ele, que tem verdadeiro amor *conjugial*, ama o que o outro pensa e quer; isto é, ele ama pensar como o outro pensa, e querer o que o outro quer, para conseqüentemente estar unido ao outro, e assim se tornarem um. *AC 10169*

---

* N.E.: Segundo Jung, o termo *animus* refere-se à força masculina na mulher, assim como *anima* é a força feminina no homem.

[Amor *conjugial*] é o Divino do Senhor nos céus; que é Bem Divino e Verdade Divina unidos em duas pessoas de forma que deixam de ser duas e se tornam uma (...) No Céu, os dois consortes são esse amor, já que cada um é o seu próprio Bem e Verdade tanto em corpo como em mente, o corpo sendo imagem da mente porque é formado à sua semelhança (...) O Divino é projetado em um par que está em verdadeiro amor *conjugial*; e como o Divino é dessa forma projetado, assim também é o Céu, pois todo o Céu é Bem Divino e Verdade Divina provindos do Senhor; e isso é porque todas as coisas do Céu estão incluídas nesse amor com bênçãos e prazeres incontáveis. *HH 374*

Amor *conjugial* é em si um estado de inocência; e essa é a causa dos consortes nesse amor *conjugial* alegrarem-se juntos dos prazeres celestiais que aparecem diante de suas mentes quase como jogos de inocência, como entre duas pequenas crianças; pois tudo alegra suas mentes, já que o Céu com sua alegria flui em todos os fatos de suas vidas (...) Os anjos no Céu adquirem sua beleza do amor *conjugial*. As afeições e o pensamento provenientes desse amor são representados por diamantes como auras com cintilações como as de pedras flamejantes e rubras, as quais representam os prazeres que afetam o interior da mente. Em suma, o Céu representa a conjunção do bem e da verdade, e é essa união que promove o amor *conjugial*. *CL 382*[a]

O amor *conjugial* é o fundamento de todo amor mútuo. Amor mútuo é desejar mais para o outro do que para si mesmo; mas a ligação do amor *conjugial* é ainda mais próxima. Alguém em uma relação dessas não experimenta apenas a maior felicidade em dar de si a seu parceiro, para que suas mentes possam ser unidas, mas, nesse amor, compartilha do amor que preserva toda a raça humana; é a misericórdia do Senhor pela raça humana universal que resulta no amor *conjugial*, e, conseqüentemente, no amor *conjugial* de parceiros casados flui o amor da procriação da descendência e o amor por ela propriamente dito; e são assim criados de forma a que suas mentes estejam cada vez mais unidas. *SD 4229*

[O amor *conjugial*] é o mais íntimo de todos os amores, e é tal que os parceiros vêem-se em ânimo e mente, de tal forma que cada parceiro tem o outro em si mesmo, isto é, que a imagem à semelhança do marido está na mente da esposa e a imagem à semelhança da esposa está na mente do marido, de tal forma que cada um vê o outro em si mesmo, e assim coabitam em seus íntimos. *SD 4408*

O amor *conjugial* de um homem com uma esposa é a jóia preciosa da vida humana e o repositório da religião cristã. *CL 531*

UNIÃO DE MACHO E FÊMEA

Quando existe relacionamento apenas em nível natural, ele está sujeito à ilusão do ego de que "Eu sou meu corpo", e tudo e todos existem como entidades separadas. Nesse nível, a união é expressa apenas pela presença e pelo contato físicos. Mas, no relacionamento *conjugial*, no reino eterno do espírito, o senso de união desce a níveis mais profundos do ser.

As almas e mentes dos homens não estão no espaço como os seus corpos, pois de sua origem (...) são celestiais e espirituais. E, não estando no espaço, podem se juntar em uma unidade, apesar de seus corpos não compartilharem dessa possível união. Esse é essencialmente o caso entre parceiros casados que amam um ao outro. Mas, pelo motivo de a mulher ser proveniente do homem e de essa conjunção ser uma espécie de reunificação, pode ser vista não como uma conjunção, mas como uma adjunção, próxima e aproximada de acordo com o amor, e, no caso daqueles, em um verdadeiro amor *conjugial*, até mesmo de contato. Essa adjunção pode ser chamada coabitação espiritual e existe entre parceiros que se amam ternamente, independentemente de quão distantes estejam em corpo. *CL 158*[2]

Amor nada mais é do que um desejo e, assim, uma luta por uma conjunção, e o amor *conjugial* por uma conjunção em um; pois o masculino e o feminino foram criados de tal forma que dois possam tornar-se um e então, quando juntos, compreendem uma totalidade humana. Sem essa conjunção, eles são dois, e cada um está dividido ou é meia pessoa. *CL 37*

Uma imagem do marido está sendo formada na esposa e, dessa imagem, a esposa percebe, vê e sente dentro dela as coisas que estão em seu marido, e, conseqüentemente, ela mesma nelas. Ela percebe por meio da comunicação, vê pelos aspectos e sente pelo toque (...) Do toque, ela sente a recepção de seu amor pelo marido nas palmas das mãos, em seu rosto, braços e seios. *CL 173*

Isso me foi atestado por aqueles que viveram muito tempo com seus parceiros no Céu, que disseram sentir-se assim ligados; o marido sentindo-se unido com sua esposa, e a esposa com o marido, e cada um tendo a sensação de estar no outro, como se unidos até mesmo na carne, embora sejam seres separados. *CL 178*

Em essência, o amor *conjugial* nada mais é do que a vontade de dois serem um, isto é, o desejo de que duas vidas se transformem em uma única. *CL 215*

AMOR *CONJUGIAL* NO CÉU

É óbvio que nem todos encontram o verdadeiro parceiro durante suas vidas no mundo. Em *Conjugial Love*, Swedenborg explica como "parceiros *conjugiais* são reunidos depois da morte e como outros encontram suas contrapartes *conjugiais*". Esse relacionamento *conjugial* é um aspecto fundamental da criação e tem papel decisivo no mundo espiritual. Sendo essencialmente espiritual, como pode o amor *conjugial* ser expresso e manifestado por aqueles em estado celestial, na vida após a morte?

Dois parceiros no Céu não são dois, mas apenas um anjo. Assim, pela unificação *conjugial,* eles se preenchem com o humano que consiste em querer tornar-se sábio, amando aquele que pertence à sabedoria. *CL 52*

Aqueles que se amam *conjugialmente,* depois da morte, quando se tornam anjos, retornam à sua juventude e adolescência. Os maridos, independentemente da idade, tornam-se jovens homens; e as esposas, não importa a idade, tornam-se jovens mulheres. Cada parceiro *conjugial* retorna ao princípio da vida e à alegria da idade em que o amor *conjugial* começa a intensificar a vida com novos prazeres e a inspirar com atividade jovial a procriação (...) Em razão de estarem sempre crescendo interiormente com juventude assegurada, conclui-se que o amor verdadeiramente *conjugial* aumenta e cai nos prazeres e nas alegrias oferecidos por ele desde a criação do mundo. Esses são os prazeres e as alegrias do Céu mais íntimo, surgindo do amor do Senhor pelo Céu e pela Igreja, e assim, do amor pelo bem e pela verdade; desse amor deriva toda a alegria dos céus. A razão para que o homem cresça jovem no Céu é que assim ele entra no casamento do bem e da verdade. Há no bem um esforço de amar continuamente a verdade, e nessa, um ânimo de sempre amar o bem; então, a esposa é o bem na forma e o marido, a verdade na forma. É desse esforço que o homem erradica toda a severidade, a rispidez senil, o pesar e a falta de vitalidade, e coloca em atividade a alegria e o frescor da juventude, dos quais os esforços recebem vida e tornam-se alegria (...) Dos casamentos nos céus, apesar de os parceiros estarem unidos como na Terra, não nascem crianças, mas, em vez de crianças, bens e verdades, e assim sabedoria. *AE 1000*⁴

A prole espiritual que nasce de seus casamentos são coisas pertencentes à sabedoria do pai e ao amor da mãe. Essa, eles amam com o amor espiritual pela prole, e esse amor adiciona-se a seu amor *conjugial,* elevando-o continuamente e conjugando os parceiros. CL 211

Parceiros casados aproveitam das mesmas relações sexuais como no mundo, mas mais prazerosas e abençoadas, mesmo que sem procriação; nelas há procriação espiritual, de amor e sabedoria (...) as relações são mais prazerosas e abençoadas porque quando esse amor se transforma em amor de espírito, torna-se mais interior e puro e, portanto, mais perceptível; pois cada prazer aumenta de acordo com a percepção, e ela se amplia tanto que a bem-aventurança é observada em seu prazer. *CL 51*

> A beleza das manifestações do amor *conjugial* é apresentada vividamente em alguns dos mais descritivos escritos de Swedenborg. Nas vinhetas, que Swedenborg chama *memorabilia,* ele conta sobre encontros particulares experimentados no mundo espiritual, como os seguintes:

Fomos introduzidos em uma sala contígua ao dormitório. Aqui, nas paredes, havia muitos trabalhos de arte e algumas pequenas imagens como que fundidas em prata; e perguntei "O que é isto?" O marido disse: "São gravuras e formas representativas das muitas qualidades, atributos e prazeres que pertencem ao amor *conjugial*. Alguns simbolizam a unidade das almas; outros, a conjunção das mentes, a concordância dos corações e os prazeres que resultam deles todos".

Enquanto examinávamos essas representações, vimos acima da parede um arco-íris, como se fosse composto de três cores: carmesim, castanho e branco; e vimos que o carmesim passava pelo castanho e tingia o branco com azul-escuro, enquanto o branco retrocedia pelo castanho no carmesim e levava-o a um facho flamejante.

O marido perguntou-me: "Você entende isso?"; respondi: "Instrua-me"; disse ele então: "De suas correspondências, o carmesim significa o amor *conjugial* da esposa; o branco, a inteligência do esposo; o castanho, o começo do amor *conjugial* na percepção que o marido tem da mulher; e o azul-escuro, com o qual o branco é tingido, o amor *conjugial* no marido. O movimento retrógrado dessa cor do castanho ao carmesim e o surgimento do facho flamejante significam o amor *conjugial* do marido retrocedendo para a esposa. Tais coisas são representadas nessas paredes sempre que, da meditação no amor conjugial e da sucessiva e simultânea união, observarmos com intensa curiosidade os arco-íris ali pintados". *CL* 76[6, 7]

O amor verdadeiramente *conjugial* é representado no Céu de várias maneiras. É representado por auras em diamante, brilhando como rubis e granadas; também pelos mais belos arco-íris e chuveiros de ouro, à vista dos quais os observadores se enchem de tal prazer e deleite que suas mentes se estendem até as profundezas. Escutei os anjos nos jardins do Céu quando o amor *conjugial* estava assim representado, e eles disseram que, preenchidos com tal prazer, não podiam se expressar a não ser dizendo que era um prazer pelo qual todos os outros nada significavam. Disseram que esse era um puro prazer mental, sem qualquer sinal de luxúria. Esse é o amor *conjugial* em sua origem. Uma vez que o amor *conjugial* em sua origem é puro prazer mental, e que é o fundamento de todos os amores; e já que é do amor que os anjos do Céu adquirem toda a sua beleza, pois o amor forma cada indivíduo, o que resulta em toda face angélica em uma semelhança de seu amor; portanto, toda a beleza dos anjos no Céu vem do amor *conjugial*, pois ele é a fonte da parte mais íntima de suas vidas, que por ele brilha. *DC* [1, 2]

DISTORÇÕES DO AMOR *CONJUGIAL*

Todas as qualidades espirituais ou celestiais são distorcidas pela consciência do ego ou egoísmo, apesar de não necessariamente de forma explícita.

Existe em alguns algo com uma certa semelhança ao amor *conjugial*, mas ainda assim não se trata de amor *conjugial*, a menos que estejam no amor do bem e da verdade. É um amor parecido ao amor *conjugial*, mas surge de motivos do amor do mundo ou do ego, especificamente daquele dirigido a pessoas de casa, daquele que vive em segurança, daquele que cuidamos na doença ou velhice, ou dirigido aos filhos que ama. Com alguns, o que produz esse amor é a compulsão amorosa que surge do medo do parceiro casado, medo de sua reputação ou de infortúnios; com alguns, é o amor lascivo. *AC 2742*

O amor *conjugial* precipitado sem ordem queima sua essência e é consumido. Isso é assim apresentado por alguns no Céu; e, por essência, eles querem dizer o íntimo da mente e do corpo. A razão da consumação quando o amor *conjugial* é precipitado é porque o amor começa de uma chama que consome e destrói os santuários interiores, enquanto, por princípio, o amor *conjugial* é para ser demorado, e dele tudo deve começar. É o caso quando um homem e uma mulher precipitam-se em um casamento sem ordem, não observando o Senhor, não consultando a razão, rejeitando o noivado e buscando apenas a carne; e se esse amor começa pelo calor escaldante da carne, ele se torna externo e não interno, e, portanto, não-*conjugial*. Pode então ser chamado um amor casca, não um amor núcleo; ou um amor carnal, pobre e seco, vazio de sua essência genuína. *CL 312*

> Como vimos, para Swedenborg, o amor *conjugial* e o amor sexual não são opostos, mas têm aspectos interior e exterior – o interior, quando ativo e presente, purificando o exterior. À distorção infernal, que é o oposto do amor *conjugial*, Swedenborg chama amor impudico.

Os prazeres do amor impudico começam da carne e são prazeres da carne mesmo no espírito; mas os do amor *conjugial* começam no espírito e são prazeres do espírito mesmo na carne. *CL 440*

Cada esfera – a do amor impudico que ascende do Inferno e aquela *conjugial* que desce do Céu – afeta com seus prazeres o homem que a recebe. A razão é porque o plano final é o mesmo, especificamente o plano em que os prazeres de cada amor terminam, onde se completam e que fazem sua presença manifesta pelas sensações. Por isso, em sua manifestação exterior, o abraço impudico e o *conjugial* são percebidos como parecidos, apesar de internamente serem completamente diferentes. Que eles sejam diferentes na manifestação exterior não se pode perceber de qualquer sensação de divergência, pois ninguém pode sentir diferenças exteriores a não ser aqueles que estão no amor verdadeiramente conjugial. O mal é reconhecido do bem, mas esse não pode ser distinguido do mal. *CL 439*

> Pela percepção natural do ego exterior, é muito difícil detectar a diferença. Freqüentemente, não estamos conscientes dos motivos reais que dirigem nossas próprias ações, quanto mais as dos outros, e Swedenborg alerta para o perigo de julgar pelas aparências.

Há casamentos nos quais o amor *conjugial* não é aparente, e ainda assim ele está lá; e há outros nos quais o amor *conjugial* é aparente, mas ainda assim ele não está lá (...) Conclui-se que não se pode determinar se um homem tem ou não um amor *conjugial* apenas pela aparência. Portanto, "não julgues, para que não sejas condenado" (Mateus 7:1). *CL 531*

PRAZERES DO AMOR *CONJUGIAL*

Na união espiritual do masculino e do feminino em amor *conjugial* é refletida a unidade de coração e mente que é receptáculo do Amor e Sabedoria Divinos, de onde fluem todos os prazeres celestiais. Quando existe tal unidade em todos os níveis, há uma ligação *conjugial* que proporciona um prazer sempre crescente.

Esses [prazeres] provêm dos usos do amor e da sabedoria. Isso pode ser visto do fato de que, enquanto alguém amar ser sábio com o propósito do uso genuíno dessa sabedoria, estará no cerne do amor *conjugial* e em contato com sua potencialidade, e, enquanto estiver nesses dois, ele permanecerá em seus prazeres. É o uso que faz isso; pois, quando o amor age por meio da sabedoria, os dois estão em prazer mútuo, e eles se portam juntos como duas pequenas crianças. Então, à medida que chegam à adolescência, relacionam-se produtivamente, o que acontece por meio de noivados, núpcias, casamentos e procriações, e contínua e variadamente, por toda a eternidade. É isso o que acontece entre o amor e a sabedoria; mas eles se insinuam à mente interior, sob a aparência de paz e inocência, e exteriormente à mente como bem-aventurança, felicidade e prazer. No peito, estão presentes sob a aparência dos prazeres com as amizades íntimas; na região genital, pelo contínuo influxo da própria alma juntamente com a sensação do amor *conjugial*, como o prazer de todos os prazeres. Na alma, esse relacionamento nupcial de amor e sabedoria persiste em voltar-se para o peito, onde se apresentam em uma infinita variedade de prazeres. Então, pelo motivo da maravilhosa comunicação do peito com a região genital, nesse último esses prazeres tornam-se os do amor *conjugial* – prazeres que são exaltados acima de todos os outros no Céu e no mundo (...) Aqueles que não alimentam o amor de tornarem-se sábios por intermédio do Senhor, com o propósito de seu uso, nada sabem da variedade dos inúmeros prazeres do amor verdadeiramente *conjugial*. CL 183^{6-8}

XI

IDADES ESPIRITUAIS DO HOMEM

O padrão de crescimento e regeneração do espírito é complexo em seus detalhes. No entanto, há estágios definitivos pelos quais ele tem de passar. Swedenborg descreve esses estágios relacionando-os às idades do homem e aplica essa ordem ao padrão de crescimento não apenas de um homem, mas também de qualquer corpo ou organização – seja ele uma nação ou uma Igreja. De fato, ele vê toda a raça humana percorrendo estágios de desenvolvimento similares.

A Igreja parece aos olhos do Senhor como um homem; e, como o Grande Homem (Humano Universal), deve passar pelas idades como um indivíduo, avançando da infância para a juventude, dessa para o estado adulto, e, a seguir, para a maturidade e a velhice; e então, quando morrer, renascerá novamente. *TCR 762*

Um homem espiritual é uma igreja em particular, e um grupo deles é a Igreja em geral. *AC 4292*

Assim que qualquer um nasce, é trazido em um estado de inocência. Então, esse estado serve como base para os outros e é o núcleo de todos eles; e esse estado é mencionado na Palavra como aquele de "uma criança lactente". Depois de ser trazido em condição de inocência, é levado à situação de afeição pelo bem, isto é, um estado de amor pelos pais, que se apresentam no lugar do amor do Senhor; esse estado é mencionado como o de "uma pequena criança"; depois disso, ele é levado a um estado de afeição pelo bem espiritual, que é o amor mútuo, ou caridade pelos que são crianças como ele, e esse estado é mencionado como o de "um menino". Quando cresce ainda mais, é levado a um estado de afeição pela verdade, mencionado como o de "um homem jovem". Os estados subseqüentes são identificados como o "dos homens" e o "dos velhos". Esse estado final é de sabedoria que tem a inocência da tenra infância dentro dele, e, assim, o primeiro estado e o último são unidos. E quando velho, tornando-se uma pequena criança novamente, ainda que mais sábia, é levado para o reino do Senhor. *AC 3183*

O primeiro estado é de ignorância e, assim, de inocência na ignorância. Na continuação desse período, os estados interiores são formados para o uso, e, conseqüentemente, apenas o mais exterior vem à luz. Esse estado é o do homem sensual e, quando é esse o caso, reina a ignorância.

O segundo estado é de instrução e conhecimento (...) ainda não é um período de inteligência, pois a criança nessa época ainda não tira conclusões por si mesma, nem discerne entre verdade e falsidade. Ela pensa e fala só das coisas que estão em sua memória e, assim, apenas do conhecido; nem vê e percebe o que são as coisas, a menos que alguém lhe tenha dito.

O terceiro estado é chamado de inteligência, já que aí o homem pensa, discerne e chega a conclusões próprias. Nesse momento, começa a fé; pois a fé não se sedimenta no homem até que ele tenha confirmado o que acredita por meio do pensamento. Antes disso, a fé não era sua, mas a de outro nele; pois acreditava na pessoa e não na coisa. Portanto, fica claro que o estado de inteligência começa quando o homem não pensa mais pelo professor, mas por si mesmo; esse não é o caso até que o interior seja aberto ao Céu. Deve-se observar que, exteriormente, um homem está no mundo, mas interiormente, no Céu; e isso em proporção à quantidade de luz que flui do Céu naquelas coisas que são do mundo; e, na mesma proporção, um homem se torna inteligente e sábio. Isso acontece em um grau de acordo com a forma em que o interior é aberto; e ele estará tão aberto quanto um homem vive para o Céu e não para o mundo.

O último estado é de sabedoria e de inocência na sabedoria; esse é o momento em que o homem já não está preocupado com o entendimento da verdade e do bem, mas apenas em desejá-los e vivê-los; pois isso é ser sábio. E o homem só pode desejar verdade e bem e ainda vivê-los enquanto estiver em inocência, isto é, quando acreditar que é sábio em nada dele mesmo, mas que qualquer sabedoria que tenha veio do Senhor; e também ser assim enquanto amar; conseqüentemente, esse estado também é de inocência na sabedoria.

Da sucessão desses estados, um homem que é sábio também pode vir a perceber as coisas maravilhosas da Divina Providência, tais como estas: que um estado anterior é o plano para aqueles que crescem continuamente, e que a abertura ou o desdobramento dos estados interiores procede das coisas exteriores para as interiores, sucessivamente; assim, o que a princípio eram coisas exteriores são no fim coisas interiores, isto é, ignorância e inocência. Aquele que é consciente de sua ignorância a respeito de todas as coisas, e que o que quer que saiba é por meio do Senhor, está na ignorância da sabedoria e também na sua inocência. *AC 19225*[5-7]

> Entretanto, o desenvolvimento de um homem – ou uma Igreja – não é necessariamente progressivo; pois quando o homem ou a Igreja tornam-se mais autocentrados, acontece inevitavelmente um estado de declínio espiritual.

É o mesmo caso com a Igreja em geral como com homens em particular; seu primeiro estado é de inocência e também de amor pelos pais, por sua ama e por seus pequenos companheiros; seu segundo estado é de luz, pois, quando a pequena criança se torna um menino, aprende as coisas que pertencem à luz, as verdades da fé, e acredita nelas; o terceiro estado é quando começa a amar o mundo e a si mesmo, como é o caso quando se torna um jovem e pensa por si mesmo; e à medida que esses amores crescem, a fé decresce na mesma proporção, e com a fé decrescem também a caridade com o próximo e o amor a Deus. O quarto e último estado é aquele em que ele não se preocupa com as verdades e, especialmente, quando as nega.

Também são esses os estados de todas as Igrejas desde o início até o fim; seu primeiro estado de infância é chamado manhã; o segundo estado de luz, chamado dia; o terceiro estado de obscuridade, chamado anoitecer; e o quarto estado, em que não há amor e, portanto, luz, chamado noite. *AC 10134*[8, 9]

> Falando da Igreja na Terra em sua forma mais geral, referindo-se a eras ou épocas espirituais, Swedenborg distingue quatro fases ou Igrejas até o seu próprio tempo, cada uma das quais teve seu ciclo.

Os antigos distinguiam as diversas eras do mundo, da primeira à última, como as de ouro, prata, cobre e ferro, e, a elas, adicionaram a era da lama. A era de ouro referia-se ao tempo em que havia inocência e integridade, quando todos faziam o que era bom pelo bem e o que era justo por justiça. A era de prata, quando não havia mais inocência, mas ainda uma espécie de integridade, não se fazendo mais o bom pelo bem, mas se fazia o verdadeiro pela verdade; deram o nome de era de cobre e ferro a épocas que eram ainda mais inferiores. Assim, designaram esses períodos não por comparação, mas por correspondência; pois os antigos sabiam que a prata correspondia à verdade e o ouro, ao bem. *AC 5658*[2, 3]

> A própria análise e terminologia de Swedenborg são baseadas na Bíblia, e ele classifica a história espiritual da humanidade nas seguintes fases:

PERÍODO INFANTIL	Igreja mais Antiga (anterior ao Dilúvio Universal)
PERÍODO DE MENINICE	Igreja Antiga (do tempo de Noé até Abraão [Gênesis 12])
PERÍODO JUVENIL	Igreja Israelita (e Judaica) (de Abraão até a Vinda de Cristo)
PERÍODO ADULTO	Igreja Cristã (de Cristo ao século XVIII)

INFÂNCIA (IGREJA MAIS ANTIGA)

Desse primeiro período, muito anterior aos registros históricos, a chamada Idade do Ouro é descrita por Swedenborg como período de espiritualidade pura e inocente.

Na Igreja mais Antiga, antes do Dilúvio, não havia uma Palavra escrita, mas uma revelada a cada membro da Igreja; pois eram pessoas celestiais e, assim, como os anjos em cuja companhia viviam, sabiam pela percepção o que era bem e verdade. Assim, tinham a Palavra escrita em seus corações (...) Pelo motivo de serem pessoas celestiais e viverem na companhia dos anjos, tudo o que viam e apreendiam com qualquer dos seus sentidos era para eles um sinal representativo e significativo das coisas celestiais e espirituais do reino do Senhor; assim, viam de fato coisas mundanas com seus olhos ou as apreendiam com outros sentidos; mas, dessas coisas e por meio delas, pensavam em coisas celestiais e espirituais. Dessa única forma, eram capazes de conversar com os anjos, pois as coisas que existem entre eles são celestiais e espirituais e, quando se manifestam ao homem, fazem-no em coisas que existem com o homem no mundo. *AC 2896*

A Igreja mais Antiga tinha revelação imediata por meio de contato direto com espíritos e anjos e, ainda, pelas visões e sonhos do Senhor. Essas experiências capacitavam-nos de conhecer de forma geral seus assuntos primários de conhecimento que eram confirmados por meio de inúmeros detalhes recebidos por percepção. Esses detalhes constituíam os aspectos particulares e individuais do conhecimento geral aos quais diziam respeito. Dessa maneira, o conhecimento primário ou geral era corroborado dia a dia. Se qualquer coisa estava ou não de acordo com assuntos gerais do conhecimento, percebiam imediatamente o fato. Assim também funciona o estado dos anjos celestiais.

Os assuntos gerais e primários de conhecimento da Igreja mais Antiga eram as verdades celestiais e eternas; por exemplo, que o Senhor governa todo o Universo; que o Senhor é a fonte de todo bem e verdade; que o Senhor é a fonte de toda a vida; que o *proprium* do homem não é nada além do mal, adicionalmente a outras verdades gerais como essas. E recebiam do Senhor uma percepção de inúmeras considerações confirmando e se harmonizando com essas verdades. Para essas pessoas, amor era o componente principal da fé, e, por meio do amor, eles eram autorizados pelo Senhor a perceber qualquer coisa que fosse um assunto de fé. Conseqüentemente, para eles, fé era amor. *AC 597²*

Qualquer coisa que o membro da Igreja mais Antiga visse com seus olhos era para ele celestial, e, assim, todas as coisas podiam falar. *AC 920²*

O povo mais antigo, que vivia antes do Dilúvio, via em todas as coisas – em montanhas, colinas, planícies e vales, em jardins, florestas, rios, nos campos e colheitas, nas árvores de todos os tipos, e também nas criaturas vivas e nos corpos celestes – algo que era um representativo e significativo sinal do reino do Senhor. Mas eles nunca deixavam seus olhos, e muito menos suas mentes, demorar-se sobre tais objetos; para eles, esses serviam como meios para pensar a respeito das coisas celestiais e espirituais que existiam no reino do Senhor. De fato, era tanto esse o caso com esses objetos, que não havia nada em todo o mundo natural que não servisse como meio a essas pessoas. *AC 2722⁵*

O povo mais antigo – que era celestial e não tinha conhecimento do que era empregar a pretensão, despojado de hipocrisia e de falsidade – era capaz de ver a mente do outro completamente revelada em sua face. *AC 3527 ²*

O povo mais antigo (...) estava contente com seus próprios bens; e lhes era desconhecido tornar-se rico pelos bens dos outros, e de exercer domínio (...) Então, todos faziam o bom pelo bem, e o justo por justiça. Não sabiam o que era fazer o bem com o propósito da honra pessoal ou do ganho. Portanto, só falavam a verdade; e nem tanto pela verdade, mas pelo bem (...) esses tempos também eram conhecidos dos antigos escritores e chamados por eles de Idade do Ouro ou Saturnina. *AC 8118*

Os membros da Igreja mais Antiga possuíam a cognição da fé verdadeira por meio de revelações, pois falavam com o Senhor e com os anjos. Eram também ensinados por meio de visões e sonhos, que, para eles, eram extremamente prazerosos e abençoados. Eles recebiam percepção do Senhor continuamente; e, como resultado, quando pensavam nas coisas de sua memória, percebiam instantaneamente se eram verdade e bem, de tal forma que, quando qualquer coisa falsa se apresentava a eles, ficavam sem ação e horrorizados. *AC 125*

Os membros da Igreja mais Antiga possuíam respiração interna, mas não respiração externa, exceto aquela que é silenciosa. Conseqüentemente, as pessoas não falavam muito por meio de expressão vocálica como aconteceria mais tarde e fazem hoje em dia; mas, como os anjos, por meio de idéias. Eles eram capazes de expressar idéias por inúmeras mudanças das expressões faciais e de postura, e especialmente por meio de alterações dos lábios em que há feixes de fibras musculares que estão todas emaranhadas em nossos dias, mas que tinham liberdade de movimento naquela época. Eram, dessa forma, capazes de apresentar, significar e representar em um minuto coisas que hoje em dia levam uma hora usando sons articulados da fala. E eles faziam isso muito mais claramente para a compreensão e entendimento dos presentes do que possivelmente com palavras e sentenças. *AC 607* [2]

É interessante notar que Swedenborg descreve como o povo dessa Igreja não caçava, já que era vegetariano.

Em época muito antiga, o povo nunca comia carne de nenhum animal ou pássaro, mas apenas diferentes tipos de grãos, especialmente trigo e pão, frutas e vegetais, leite e seus derivados, como a manteiga. Matar criaturas vivas e comer sua carne era abominável para eles, pertinente ao comportamento de animais selvagens. *AC 1002*

A Igreja mais Antiga que existia antes do Dilúvio nunca conheceu nada a respeito dos sacrifícios nem imaginou possível venerar ao Senhor por meio da matança de animais. *AC 2180*[4]

MENINICE (IGREJA ANTIGA)

Com o passar de gerações na Igreja mais Antiga, coisas divinas e celestiais foram gradualmente reduzidas meramente à percepção dos sentidos.

Os homens da Igreja mais Antiga começaram a amar as coisas mundanas mais do que as celestiais; e isso por conta do orgulho e da glória com que revestiam sua sabedoria. Os descendentes tornaram-se sensuais, e então os sentidos, simbolizados pela "serpente", seduziram-nos. *AE 739*[7]

Mas, depois de aquilo que é celestial, essencialmente o amor pelo Senhor, ter perecido no homem, a raça humana não se apresentou mais naquele estado; isto é, na situação de ver as coisas celestiais e espirituais do reino do Senhor pelos objetos mundanos. *AC 2722*[6]

A Igreja Antiga, estabelecida pelo Senhor depois do Dilúvio, era uma Igreja representativa, e de tal natureza que toda a sua veneração exterior representava coisas celestiais e espirituais do reino do Senhor, e, em um sentido supremo, as próprias coisas divinas do Senhor (...) essa Igreja espalhou-se por grande parte do mundo asiático e por muitos dos seus reinos; apesar de haver diferenças entre eles no aspecto das doutrinas de fé, ainda assim a Igreja era única, pois tudo em toda parte fazia da caridade a essência da Igreja. *AC 4680*[2]

O Deus adorado na Igreja Antiga era o Senhor para o Humano Divino, e era de conhecimento deles que o Senhor fosse representado em cada um dos rituais da sua Igreja, e muitos deles também sabiam que o senhor estava para vir ao mundo, e transformar o humano em Divino n'Ele mesmo. *AC 6846*

Os aspectos internos da Igreja Antiga compreendiam todas as coisas que diziam respeito à caridade e à fé que dela derivava; toda humildade, toda veneração ao Senhor que decorre da caridade, toda boa afeição para com o próximo e outros aspectos como esses. As características exteriores daquela Igreja eram sacrifícios, oferendas e muitas mais, mas todas, por representação, eram dirigidas ao Senhor e a Ele destinadas. Conseqüentemente, coisas de natureza interior existiam dentro daquelas que eram exteriores e faziam uma única Igreja. As características internas da Igreja Cristã são idênticas às da Igreja Antiga, mas ensejaram características exteriores diferentes. Isso quer dizer que, em vez de sacrifícios, [a Igreja Cristã] tem sacramentos que, de forma similar, são dirigidos ao Senhor (...) A devoção ao Senhor que deriva da caridade não pode ser diferente, independentemente de quanto possam variar as características exteriores. *AC 1083*[2]

> Outra diferença importante nesse novo tipo espiritual era sua necessidade de expressar a verdade de forma verbal – em palavras articuladas que infelizmente tendiam a limitar a percepção da verdade que, usualmente, está além das palavras.

Quando a respiração interna acabou, a respiração externa, praticamente análoga à que hoje conhecemos, tomou seu lugar. E a respiração externa veio acompanhada da fala vocal ou de sons articulados, os quais encapsulam as idéias que compreendem o pensamento. Dessa maneira, o estado do homem foi completamente modificado e ele tornou-se incapaz de manter a sua percepção nesse campo. Em vez da percepção, ele passou a ter outro tipo de preceito, o qual pode ser chamado consciência, pois, apesar de similar a ela, era de fato alguma coisa a meio caminho entre a percepção e a consciência como as pessoas a conhecem hoje em dia. Assim que as idéias que compreendem o pensamento passaram a ser encapsuladas dentro da fala vocal, as pessoas não puderam mais ser ensinadas por via do homem interno, como tinham sido na época da Igreja mais Antiga. A única via disponível para o ensinamento passou a ser a externa. Conseqüentemente, as revelações que a Igreja mais Antiga recebia foram substituídas por doutrinas que tinham de ser primeiro apreendidas pelos sentidos exteriores. *AC 608*

> Com o passar do tempo, essa Igreja também declinou – pela observação de objetos usados para simbolizar aspectos do Divino, como o Divino neles mesmos.

As idolatrias das nações nos tempos antigos surgiram do conhecimento de correspondências, pois todas as coisas que aparecem na Terra têm similares, como árvores, animais, aves, peixes e todas as outras coisas. Os antigos que conheciam as correspondências fizeram para si mesmos imagens que representavam as coisas celestiais, e gostavam delas porque significavam coisas do Céu e a própria Igreja. Essas imagens, portanto, foram colocadas não apenas nos templos, mas também nos lares; não para serem veneradas, mas para relembrar-lhes constantemente as coisas celestiais que simbolizavam. Assim, no Egito e em outros lugares, representaram bezerros, touros, serpentes, crianças, velhos e virgens; pois bezerros e touros significavam afeições e poderes do homem natural; serpentes, a prudência e também a astúcia do homem sensual; crianças, a inocência e a caridade; velhos, a sabedoria; e virgens, as afeições à verdade; e assim por diante. Entretanto, quando o conhecimento das correspondências foi perdido, sua posteridade começou a venerar como sagrados, e como deidades, as imagens e semelhanças estabelecidas pelos ancestrais, pois estavam em seus templos (...) O conhecimento de correspondências permaneceu entre muitas nações orientais até mesmo à chegada do Senhor. *TCR 205*

JUVENIL (IGREJA ISRAELITA)

Gradualmente, a Igreja Antiga declinou à medida que aumentava a idolatria e pervertia-se o conhecimento das correspondências, começando elas a ser usadas para práticas mágicas de natureza maligna, fazendo assim surgir uma terceira fase.

No decorrer do tempo, essa Igreja voltou-se para a idolatria e, no Egito, na Babilônia e em outros lugares, para a mágica; pois eles começaram a venerar coisas externas sem conteúdo interior. *AC 4680²*

Finalmente, foi vontade do Senhor estabelecer entre a posteridade de Abraão [por Jacó] um novo tipo de Igreja, introduzindo naquela nação as características exteriores da veneração da Igreja Antiga. Mas a natureza dessa nação era tal que não podiam receber noção interior da Igreja, pois seus corações estavam em oposição à caridade; e assim, apenas uma representação de uma Igreja foi instituída entre eles. *AC 4680³*

As representações e significados da Igreja Antiga (...) foram [no Egito] transformados em coisas mágicas, pois, por meio das representações e significados da Igreja, havia comunicação com o Céu naquela época. Essa comunicação havia entre aqueles que viviam no bem da caridade, e com muitos deles era completamente aberta; porém, os que não viviam assim, mas no que era oposto à caridade, tinham comunicação aberta com os espíritos do mal que pervertiam todas as verdades da Igreja e, com isso, destruíam todo o bem; isso levou às práticas mágicas (...) a mágica não passa de uma perversão da ordem; ela é especialmente o uso abusivo das correspondências (...) assim, para que as representações e significados da Igreja não fossem mais transformados em coisas mágicas, foram escolhidos os israelitas para restaurar entre eles essas representações e significados. Aquele povo tinha tal caráter que não poderia extrair qualquer coisa mágica daquelas representações e significados; pois estavam todos voltados para o externo e não acreditavam na existência de nada interior, e menos ainda em qualquer coisa espiritual. Com um povo com esse caráter, não poderia existir o que é mágico da maneira como havia entre os egípcios. *AC 6692*

Essa Igreja foi instituída nas nações israelita e judaica. Mas como a informação concernente às coisas celestiais não podia ser com os homens dessa Igreja por influxo interior direto, e assim por iluminação interior, alguns anjos do Céu falaram com alguns deles em viva voz e os instruíram a respeito das coisas exteriores, mas muito pouco a respeito das interiores, já que eles não as compreenderiam. Aqueles que estavam em um estado natural de bem recebiam reverentemente as coisas ensinadas a eles, por isso, aqueles tempos foram chamados da Era do Bronze, visto que bronze significava tal bem. *AC 10355*[4]

ADULTO (IGREJA CRISTÃ)

A principal razão da existência da Igreja Israelita, que tinha sido apenas uma representação de uma Igreja e não uma verdadeiramente espiritual, foi a documentação da Palavra, ou Sagrada Escritura, que serviria como a base necessária para a encarnação imanente do Messias prometido – o Cristo.

Mas, quando nem mesmo o bem natural permanecia com o homem da Igreja, o Senhor veio ao mundo e trouxe a ordem a todas as coisas nos céus e nos infernos, para que os homens pudessem receber o influxo d'Ele sendo iluminados; e para que os infernos não a obstruíssem nem espalhassem espessa escuridão. Então começou uma quarta Igreja que se chamou Igreja cristã. Nessa Igreja, informações a respeito de coisas celestiais, ou sobre a vida eterna, só acontecem por meio da Palavra, pela qual os homens recebem influxo e iluminação; pois a Palavra foi escrita por puras correspondências e representações das coisas celestiais. Quando um homem lê a Palavra, os anjos do Céu acompanham essas coisas celestiais. Conseqüentemente, por meio da Palavra é atingida a conjunção do Céu com a Igreja, ou dos anjos do Céu com os homens, mas apenas com aqueles que viverem no bem do amor e da caridade. Mas, como o homem dessa Igreja extinguiu também esse bem, não pode mais receber informação nem por influxo, nem por iluminação, exceto de certas verdades que, no entanto, não se referem ao bem. Esses tempos são chamados de Idade do Ferro, denotando a verdade em última instância. *AC 10355*[5]

O próprio Senhor veio ao mundo e revelou as coisas interiores da Palavra, especialmente aquelas que diziam respeito a Ele, ao amor por Ele, ao amor pelo próximo e à fé que n'Ele devia repousar. Isso tudo estava oculto no interior da Palavra, em suas representações e, conseqüentemente, em tudo pertencente à Igreja e à devoção. As verdades reveladas pelo Senhor eram verdades interiores e intrinsecamente espirituais, e que serviam à nova Igreja para a doutrina e para a vida. Mas essas também não foram imediatamente recebidas, não até um considerável espaço de tempo, como é bem conhecido da história eclesiástica. *AE 670*[2]

> Swedenborg estava impressionado com a pureza e autenticidade da fase primitiva da Igreja Cristã, apesar de aparentar não ter conhecimento detalhado de

suas doutrinas. Mas reconhecia um rápido declínio em sua espiritualidade com o estabelecimento da Igreja e a formulação de credos dogmáticos. Em termos gerais, ele é muito crítico a respeito de todo o seu desenvolvimento doutrinário e da qualidade de sua liderança.

No mundo cristão, são suas doutrinas que fazem com que suas Igrejas sejam distintas e separadas, e isso faz com que se denominem católicos romanos, luteranos, calvinistas, protestantes ou evangélicos, entre outros nomes. E a única razão para essa diferenciação são suas doutrinas. Essa situação nunca existiria se amassem ao Senhor e exercessem caridade para com seu próximo, as principais características da fé. Nesse caso, suas diferenças doutrinárias não seriam mais do que sombras de opinião a respeito dos mistérios da fé que os verdadeiros cristãos abandonariam à consciência individual, e, em seus corações, diriam que uma pessoa é verdadeiramente cristã quando vive como um cristão, isto é, como ensinou o Senhor. Se assim fosse, todas as Igrejas diferentes tornar-se-iam uma, e os desacordos que têm origem na doutrina desapareceriam. *AC 1799*[4]

A quarta Igreja (...) que foi chamada Cristã, reconhece um Deus com os lábios, mas em três Pessoas, cada uma das quais simplesmente ou por Si só é Deus. Assim, eles veneram uma Trindade dividida, e não uma Trindade unida em uma Pessoa. O resultado é que uma idéia de três deuses foi fixada na mente, apesar da expressão, um Deus, que fica apenas nos lábios. Entretanto, como as quatro Igrejas não comungavam dessa verdade, segue-se que uma Igreja deve sucedê-las reconhecendo um Deus. Pois o amor divino de Deus não tem outro fim na criação do mundo que unir o homem a Si e Ele ao homem, e assim, com ele habitar. *TCR 786*

A Igreja Cristã, desde sua primeira infância, começou a ser infestada e acossada pelo cisma e pela heresia (...) são três as causas principais para tantos cismas e dissensões na Igreja. Primeira, a Trindade Divina não foi entendida. Segunda, o Senhor nunca foi devidamente conhecido. Terceira, a paixão na cruz foi considerada como a redenção por si só. Esses três assuntos são a essência daquela fé da qual a Igreja veio a existir e toma seu nome; e, enquanto não forem devidamente entendidos, todas as coisas da Igreja estarão fora de seu devido curso e, finalmente, retrocederão. *TCR 378*[1,3]

O fato de as Igrejas depois dos tempos dos apóstolos caírem em tantas heresias, e de que, no tempo presente, transformaram-se todas em falsas Igrejas, deve-se a elas não terem se aproximado do Senhor, quando o Senhor é a Palavra e a própria Luz que ilumina o mundo. *Inv 38*

XII

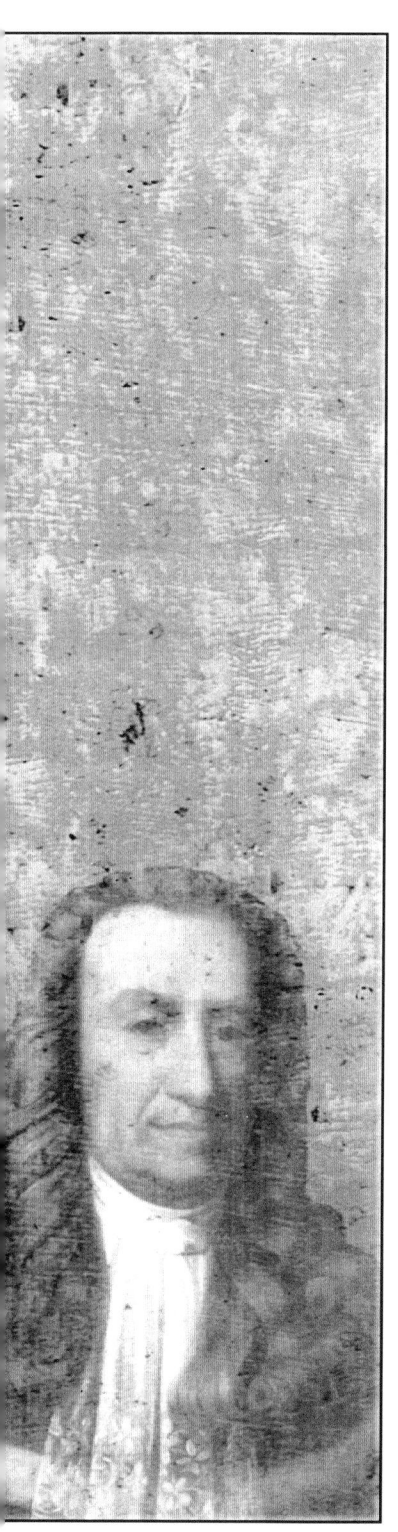

ÚLTIMO JULGAMENTO

Julgamento, como indicado em uma seção anterior, é um processo espiritual pelo qual todos passam em certo estágio de seu desenvolvimento espiritual. Quando acontece em uma escala geral, afetando um todo complexo espiritual na Terra, Swedenborg o chama de Último Julgamento.

A expressão "Último Julgamento" é usada para identificar o período final de uma Igreja, e também diz respeito à fase final da vida de cada pessoa. Em relação ao primeiro caso, o último julgamento da Igreja mais Antiga, que existiu antes do Dilúvio, aconteceu quando seus descendentes pereceram, e cuja destruição está descrita no Dilúvio. O último julgamento da Igreja Antiga, que existiu depois do Dilúvio, aconteceu quando quase todos os que pertenciam a essa Igreja tornaram-se idólatras e foram dispersos. O último julgamento da Igreja representativa, a seguinte, entre os descendentes de Jacó, aconteceu quando as dez tribos foram levadas em cativeiro e dispersadas entre as nações; e, mais tarde, quando os judeus, depois da vinda do Senhor, foram expulsos da terra de Canaã e dispersos pelo mundo. O último julgamento da Igreja presente, que é chamada Igreja Cristã, será o que significa "um novo Céu e uma nova Terra" no Livro do Apocalipse de João. *AC 2118*

Esse processo resulta quando a luz da verdade brilha tão poderosamente que as áreas de luz e escuridão no coração e na mente podem ser claramente distinguidas e separadas. Swedenborg vê ilustrações disso em parábolas de Jesus, como a separação dos grãos na colheita, quando o joio será queimado e o trigo, aproveitado.

Um Último Julgamento acontecerá quando, no mundo dos espíritos abaixo dos céus, o mal for multiplicado a tal extensão que os anjos nos céus não possam continuar a existir em seu estado de amor e sabedoria, pois não terão suporte nem fundamento. E como isso acontece como um resultado da multiplicação do mal abaixo, o Senhor, para preservar o estado dos anjos, permeia-os cada vez mais com Seu Divino, e isso continua até que não consigam ser preservados, a menos que o mal seja separado do bem. Essa separação será então promovida pela precipitação e aproximação dos céus, trazendo seu poderoso influxo, até que se atinja o ponto em que o mal é incapaz de manter-se, retrocedendo e refugiando-se no Inferno. *AR 343*

Ao ler que um Último Julgamento acontecerá no mundo espiritual, devemos lembrar que o nosso mundo interior é o próprio mundo espiritual. E enquanto os efeitos de um "Último Julgamento" podem não ser visíveis em nível exterior de instituições e organizações, os homens na Terra serão espiritualmente afetados por ele.

Um Último Julgamento não acontecerá na Terra, mas no mundo espiritual, onde tudo está junto desde o princípio da criação. E já que esse é o caso, ele não poderá ser conhecido a qualquer homem até que esteja completo, pois cada um o espera na Terra, juntamente com uma mudança de tudo o que pode ser visto no Céu e na Terra e na raça humana que lá se congrega. *Lj 45*

Mas é necessário saber que o Último Julgamento foi efetuado sobre aqueles que viveram desde o tempo do Senhor até os dias atuais, mas não sobre os que vieram antes. Pois um Último Julgamento aconteceu duas vezes antes nesta terra; um foi aquele descrito na Palavra no Dilúvio, e o outro, pelo próprio Senhor quando esteve no mundo. *Lj 46*

Um dos principais propósitos de um Último Julgamento é manter o equilíbrio espiritual entre o Céu e o Inferno com a intenção de preservar a liberdade de escolha do homem.

Há muitas razões para que aconteça um Último Julgamento quando a Igreja estiver no fim. A primeira é que o equilíbrio entre o Céu e o Inferno começa então a perecer justamente com a liberdade do homem; e quando essa perece, não há salvação. Pois ele é levado da liberdade em direção ao Inferno, e não pode ser levado em liberdade ao Céu. Pois, sem liberdade, ninguém pode ser reformado, e toda liberdade do homem advém do equilíbrio entre o Céu e o Inferno. *Lj 33*

Em seu diário espiritual, Swedenborg registra o testemunho de manifestações visíveis no mundo espiritual de um Último Julgamento que começou em 1757, como resultado de distorções acumuladas da mensagem cristã e da crescente hipocrisia e devassidão nas Igrejas daquela época. Ele explica como isso aconteceu para que uma nova realidade espiritual (ou Nova Era) pudesse nascer, purificada de distorções e, portanto, uma nova liberdade interior oposta ao poder do dogma, quando o homem deveria tornar-se capaz, se quisesse, de distinguir a verdade ou não, no ensinamento espiritual dos outros.

Em relação ao estado da Igreja, esse não seria o mesmo daí em diante. De fato, seria similar na aparência exterior, mas diferente na interior. Como exteriormente, seriam Igrejas divididas como antes, suas doutrinas seriam ensinadas como antes, como também a religiosidade entre os pagãos. Mas, mesmo assim, o homem da Igreja seria capaz de pensar mais livremente a respeito dos assuntos de fé e, portanto, sobre as coisas espirituais que pertencem ao Céu, pois a liberdade espiritual teria sido restaurada. Pois todas as coisas seriam colocadas em ordem nos céus e nos infernos (...) Mas, no Céu, essa verdade é percebida, e assim também é notada pelo homem depois da morte. Pois a liberdade espiritual seria restaurada ao homem, sendo revelado o sentido espiritual da Palavra e por ele manifestadas as verdades interiores divinas. *Lj 73*[2]

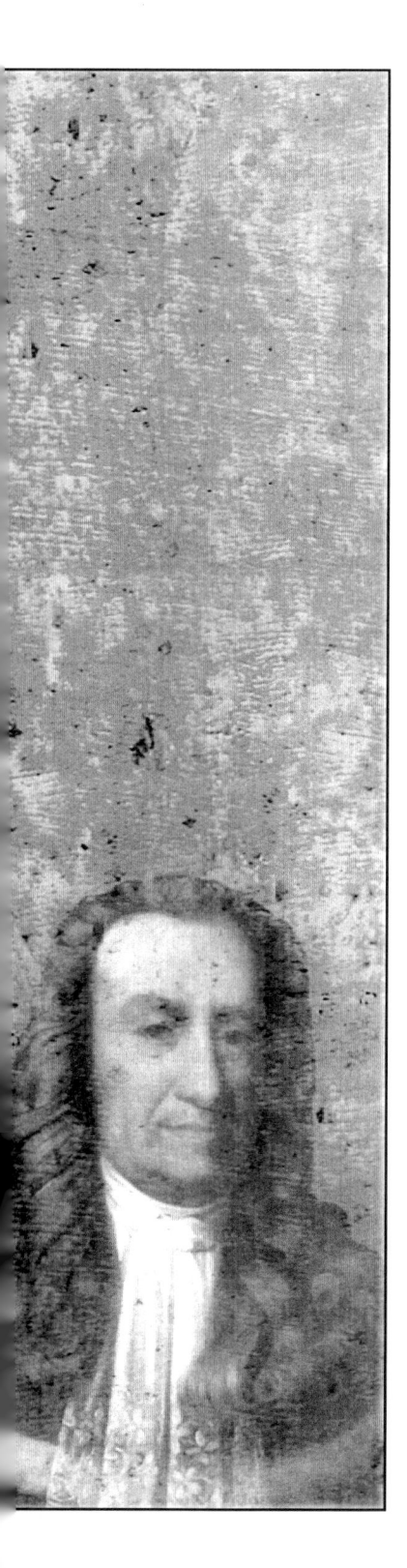

XIII

NOVA ERA – NOVA IGREJA

Swedenborg falou claramente que uma nova era espiritual estava prestes a começar na Terra – e revelou que ela já se iniciara no mundo espiritual.

Nesse dia, uma Nova Igreja é estabelecida pelo Senhor, entendida como a Nova Jerusalém no Apocalipse, na qual a veneração será dirigida ao único Senhor. *AR 839*[7]

Ele dá ainda alguns poucos detalhes de como seria isso, pois, como tinha descoberto, mesmo os anjos podem ver o futuro apenas de maneira muito genérica.

Ao chamar essa a era de uma Nova Igreja, certamente não tinha em mente qualquer organização em particular. Ele se refere à emergência de um novo espírito religioso – capaz de reconhecer e compreender a genuína verdade espiritual, permitindo ao homem experimentar e entender sua verdadeira relação com o Divino, ou Cristo interior.

Essa Nova Igreja é a coroa de todas as Igrejas que até hoje existiram na Terra, pois adorará um Deus visível no qual está o Deus invisível, como a alma no corpo. Só assim poderá haver conjunção de Deus com o homem, porque este é natural e, conseqüentemente, pensa naturalmente; enquanto a conjunção deve realizar-se em pensamento e afeição, e isso acontece quando o homem pensa em Deus como Homem. *TCR 787*

REVELAÇÃO DA VERDADE INTERIOR

Como escreveu Swedenborg, a era do dogma estava para terminar.

A verdade da Nova Igreja é interior, assim, verdade para o homem interno; enquanto a verdade da velha Igreja é exterior e, portanto, para o homem externo. *AC 9212*[7]

Na Nova Igreja, é permitido abordar com o entendimento todas as suas verdades interiores e também confirmá-las na Palavra. A razão para isso é que suas doutrinas são verdades em série advindas do Senhor, reveladas por meio da Palavra; e a confirmação dessas por considerações racionais abre os mais elevados resquícios de entendimento, levando-os até a luz para alegria dos anjos do Céu. *TCR 508*[5]

Doravante, entrar nos mistérios da Palavra, que até aqui tinham sido um livro fechado; pois todas as suas verdades são, assim, muitos espelhos do Senhor. *TCR 508*[6]

Na [Nova] Igreja, a Palavra será entendida porque será transparente em virtude de seu sentido espiritual (...) Com [isso], a Palavra brilha quando é lida. Ela brilha pelo Senhor por meio de seu sentido espiritual porque o Senhor é a Palavra, e o sentido espiritual está na luz do Céu que procede do Senhor como o Sol. *AR 897*

POR QUEM ELA SERÁ FORMADA

Swedenborg explica quem a Nova Igreja será formada principalmente por aqueles de fora da velha Igreja estabelecida.

Quando qualquer Igreja pára de ser uma Igreja, isto é, quando a caridade perece e uma nova Igreja é estabelecida pelo Senhor, raramente [se alguma vez] isso é feito entre aqueles com quem existia a velha Igreja. Em vez disso, ela é estabelecida entre aqueles com quem nenhuma Igreja existiu antes, isto é, entre pagãos (...) A razão disso é que os pagãos não possuem qualquer falsa presunção que seja contrária às verdades da fé, pois não as conhecem. Falsas presunções absorvidas desde a tenra infância e posteriormente confirmadas precisam ser, antes de mais nada, eliminadas antes que uma pessoa possa ser regenerada para tornar-se membro da Igreja. De fato, pagãos não são capazes de macular coisas sagradas por meio dos males da vida, pois ninguém pode profanar o que é sagrado se não reconhecê-lo (...) Como os pagãos não têm esse conhecimento, não há obstáculos para atrapalhá-los. Assim, seu estado é tal que são mais capazes de receber as verdades do que os freqüentadores de uma Igreja; e todos aqueles entre eles que levam um boa vida recebem as verdades sem dificuldade. *AC 2986*[2, 3]

A razão pela qual o interior da Palavra está sendo aberto agora é que a Igreja nesta época foi tão devastada (isto é, desviada da fé e do amor) que, apesar de os homens saberem e entenderem, ainda assim não reconhecem e muito menos acreditam (...) exceto poucos que estão em uma vida de bem e são chamados eleitos, e que podem agora ser instruídos e com quem a Nova Igreja será instituída. Mas onde eles estão, só o Senhor sabe; haverá poucos dentro da Igreja; foi entre os pagãos que novas Igrejas anteriores foram estabelecidas. *AC 3898*[3]

UNIVERSALIDADE

Swedenborg é um religioso universalista, apesar do fato de uma leitura superficial de seus escritos poder sugerir algumas vezes um dogmatismo novo cristão. Embora tenha escolhido confiar vigorosamente na terminologia tradicional cristã, ele sempre procura expressar as profundas verdades universais que estão além das palavras. O Céu descoberto por Swedenborg pela experiência direta está *dentro*, e pode ser adentrado por todos que sinceramente se aprofundam para procurar a fonte de uma vida de serviço verdadeiramente amorosa e útil.

A situação da Igreja espiritual do Senhor é que ela está espalhada por todo o mundo e, onde quer que exista, varia em assuntos de crença ou naqueles voltados para as verdades da fé (...) O mesmo se aplica ao reino espiritual do Senhor nos céus – quer dizer, em assuntos de fé a variedade é tão grande que nem mesmo um membro de uma comunidade está em completo acordo com qualquer outro nas coisas que constituem as verdades de fé. Mas, para todos eles, o reino espiritual do Senhor nos céus é um, e a razão para isso é que, para todos, a caridade é o carro-chefe, pois ela edifica a Igreja espiritual, não a fé, a menos que se diga que fé é caridade. *AC 3267*

O Céu (...) não pode ser composto de homens de uma religião, mas de várias doutrinas. *DP 326*[10]

Todas as nações que acreditaram em um Deus único e tiveram a idéia de observá-Lo como Homem são recebidas pelo Senhor. *AE 957*[3]

Discordância em assuntos de doutrina concernente à fé não significa que a Igreja não pode ser uma Igreja, desde que todos estejam unidos em um único pensamento, desejando o bem e fazendo-o. *AC 3451*[2]

"Acreditar no nome de Jesus Cristo" significa crer na qualidade espiritual da vida que Ele revelou, e não deve ser um mero exercício lingüístico a serviço de uma figura histórica.

Pessoas que prestam culto dirigindo-o a um nome, como os judeus em nome de Jeová, ou cristãos em nome do Senhor, não são por isso mais merecedoras do que quaisquer outras, pois o nome não lhes dá aval. Mas elas são mais dignas quando o caráter delas exprime o que Ele recomendou; e esse é o significado de "acreditar em Seu nome". E quando dizem que não há salvação em outro nome além daquele do Senhor, querem dizer em nenhuma outra doutrina, isto é, além daquela que prega o amor mútuo, que é a verdadeira doutrina da fé, e, assim, outra além da do Senhor, já que todo amor advém unicamente d'Ele e toda a fé procede desse amor. *AC 2009*[12]

No mundo espiritual, para o qual todo homem vai depois da morte, a questão que se coloca não é qual era sua fé ou qual era sua doutrina, mas qual foi a natureza de sua vida. Qual foi a qualidade dela? Assim, a inquisição diz respeito à natureza e à qualidade da vida, pois se sabe que, tal qual é a vida de alguém, também é sua fé e doutrina, pois a vida exprime a doutrina e a fé por ela mesma. *DP 101*[3]

> Talvez, a imagem de universalidade mais atrativa de Swedenborg seja aquela da Igreja do Senhor representada por uma coroa com muitas e variadas jóias. Uma imagem verdadeiramente conveniente para a "Coroa de todas as Igrejas".

Igrejas que têm diferentes tipos de bem e verdade, desde que sejam tipos de bem relacionados com o amor ao Senhor e tipos de verdade análogos à fé no Senhor, são como as muitas jóias na coroa do rei. *TCR 763*

A [Nova] Igreja em šeu espectro total (...) em si é uma, mas variando de acordo com a recepção (...) Essas variações podem ser comparadas aos vários membros ou órgãos de um corpo completo, que formam um; ou aos diversos diademas que compõem a coroa de um rei. *AR 73*

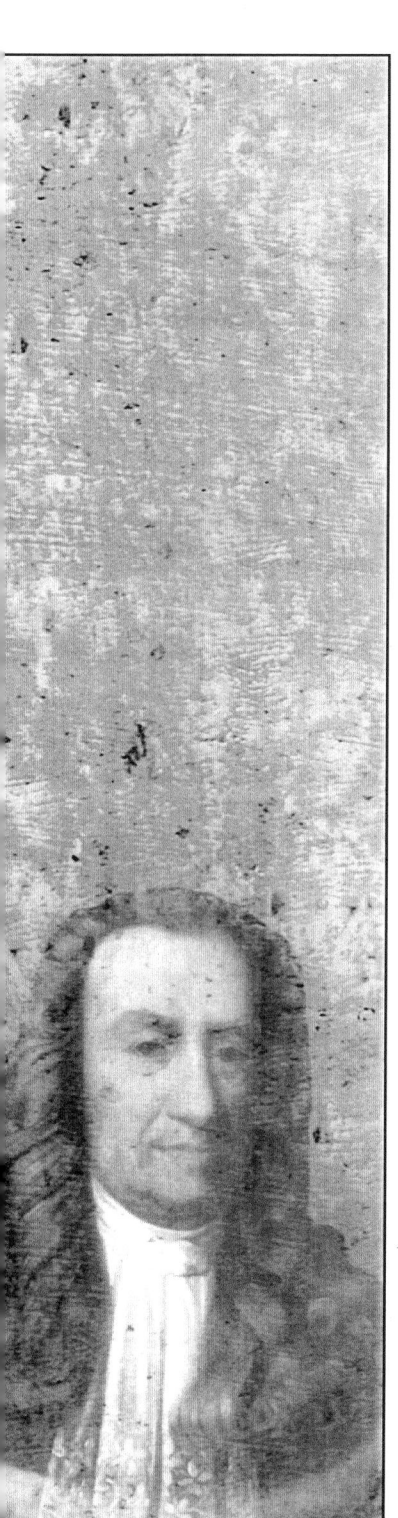

APÊNDICE

GRAUS DISTINTOS NO HOMEM

A Doutrina de Graus Distintos de Swedenborg (ver Capítulo 5), em relação ao espírito humano, é fundamental para a sua psicologia espiritual. Ele distingue claramente os graus interiores, ou níveis, dentro do ser do homem; incluem-se dois graus/níveis puramente celestiais – o celestial e o espiritual, adicionalmente às faculdades naturais inferiores da mente.

Há três coisas no homem que se seguem em ordem sucessiva: são chamadas a celestial, a espiritual e a natural. A celestial é o bem do amor pelo Senhor; a espiritual, o bem da caridade para com o próximo; e a natural, o bem da fé, porque essa provém do espiritual e é chamada espiritual-natural. É similar com o homem ao que é nos céus. No Céu mais íntimo, que também é chamado terceiro Céu, está o celestial; no segundo, ou Céu intermediário, está o espiritual; e no primeiro, ou último* do Divino, está o natural ou espiritual-natural. A razão para isso é que um homem que está no bem é um céu em sua mínima forma. *AC 9992*

Enquanto cada grau permanece distinto, uma esfera separada ou mundo, cada grau mais interior é contido no mais inferior ou externo. As-

---

* Swedenborg usa o termo "último" querendo se referir ao mais distante do Divino, ou seja, o mais externo ou mais baixo nível de qualquer série criada.

sim, a manifestação mais exterior parece viver por si mesma, mas, na realidade, existe apenas pelo influxo que vem de dentro.

Em um homem há aquilo que é íntimo, coisas interiores sob o íntimo e coisas exteriores. Todas essas coisas são perfeitamente distintas; sucedem-se em ordem, do íntimo até o exterior; de acordo com a ordem em que se sucedem, também fluem; conseqüentemente, a vida flui do íntimo para o interior e deste para o exterior; assim, de acordo com a ordem na qual se sucedem; e não há descanso, exceto na última etapa da ordem em que ela pára. E como as coisas interiores fluem na ordem até a última e depois param, é evidente que as coisas interiores se reúnem na última, mas nesta ordem: o íntimo, que fluiu, mantém-se no centro, as coisas interiores que estão sob o íntimo circundam o centro; e as coisas exteriores formam a circunferência; e isso não acontece apenas no geral, mas em todos os detalhes (...) Como todos os interiores estão juntos no último, então a aparência é de que a vida está no último, isto é, no corpo; quando, na verdade, está no interior, nem mesmo ali, mas no mais elevado que é o Senhor, de quem flui toda a vida. *AC 6451*[2, 3]

Sobre a interação mútua dos dois graus celestiais entre eles e com o grau natural do homem, Swedenborg explica:

Há dois lados no homem interno, especificamente o celestial e o espiritual, e esses formam uma entidade única se o espiritual tiver origem no celestial. Ou, o que dá no mesmo, há dois lados no homem interno conhecidos como o bem e a verdade. Esses dois formam uma única entidade se a fé tiver sua origem no amor. Ou, também, há dois lados no homem interno, vontade e entendimento. Esses dois formam uma entidade única se o entendimento tem sua origem na vontade (...) No homem externo, tudo é natural, pois o homem externo é o mesmo que o homem natural. Diz-se que o homem interno está unido ao externo quando o celestial-espiritual contido no homem interno flui no natural contido no homem externo e faz com que ajam como um. Como conseqüência, o natural torna-se celestial e espiritual também, apesar de ser uma variedade inferior do celestial e espiritual. Ou, o que dá no mesmo, o homem externo, como conseqüência, torna-se celestial e espiritual também, apesar de ser uma variedade mais exterior do homem celestial e espiritual. *AC 1577* [2,3]

O grau natural do homem externo contém três níveis distintos.

Há três partes constituintes do homem externo – racional, factual e sensorial externa. A parte racional é mais interior, a factual, menos interior, e a sensorial externa, a mais exterior. A parte racional é aquela por meio da qual o homem interno se junta ao externo, e o caráter do racional determina o caráter dessa conjunção. A parte sensorial externa consiste no caso da visão e audição. Mas o racional não tem existência por si mesmo se a afeição não flui nele, fazendo-o ativo para receber vida. Conseqüentemente, o racional recebe seu caráter da afeição que flui por ele. Quando a afeição flui pelo bem, essa afeição torna-se, com o racional, uma afeição pela verdade; e o contrário acontece quando flui a afeição pelo mal. *AC 1589²*

O crescimento espiritual do homem pode acontecer pelos três principais graus distintos, apesar de só ocorrer se livremente decidir trilhar o caminho. Em cada nível, ele pode estar para aquele grau, na imagem de Deus.

A mente humana, da qual e de acordo com a qual o homem é homem, é formada em três regiões de acordo com os três graus. No primeiro grau, ela é celestial, onde estão os anjos do Céu mais elevado. No segundo grau, ela é espiritual, onde estão os anjos do Céu intermediário; e no terceiro grau, ela é natural, onde estão os anjos do Céu inferior. A mente humana, organizada de acordo com esses três graus, é um receptáculo do influxo divino; mas o Divino só flui se o homem prepara o caminho ou abre a porta. Se ele faz isso, no grau mais elevado ou celestial, então o homem torna-se verdadeiramente imagem de Deus e, depois da morte, anjo do Céu mais elevado; mas se ele prepara o caminho ou abre a porta apenas para o nível intermediário ou grau espiritual, então se torna imagem de Deus, mas não tão perfeita, e depois da morte ele se transforma em anjo do Céu intermediário; mas se ele prepara o caminho ou abre a porta apenas no grau natural, então o homem, se conhecer Deus e o venerar com verdadeira piedade, torna-se imagem de Deus no grau mais baixo e, depois da morte, torna-se anjo do Céu inferior. *TCR 34²*

ABREVIATURAS

AC	*Arcana Caelestia*
AE	*Apocalypse Explained* (Apocalipse Explicado)
AK	*Animal Kingdom* (Reino Animal – "Reino da Alma")
AR	*Apocalypse Revealed* (Apocalipse Revelado)
Ath Creed	*Athanasian Creed* (Credo Atanasiano)
Can	*Canons of the New Church* (Cânones da Nova Igreja)
CL	*Conjugial Love* (Amor *Conjugial*)
DC	*De Conjugio*
DD	*De Domino*
DL	*Divine Love* (Amor Divino)
DF	*Doctrine of Faith* (Doutrina da Fé)
DLW	*Divine Love and Wisdom* (Amor e Sabedoria Divinos)
DP	*Divine Providence (*Divina Providência)
DSS	*Doctrine of the Sacred Scripture* (Doutrina da Escritura Sagrada)
DV	*De Verbo*
DW	*Divine Wisdom* (Sabedoria Divina)
HD	*New Jerusalem and its Heavenly Doctrines* (Nova Jerusalém e suas Doutrinas Celestiais)
HH	*Heaven and Hell* (Céu e Inferno)
Inv	*Invitation to the New Church* (Convite para a Nova Igreja)
ISB	*Intercourse Between the Soul and the Body* (Relação entre a Alma e o Corpo)
LJ	*Last Judgment* (Último Julgamento)
RP	*Rational Psychology* (Psicologia Racional)
SD	*Spiritual Diary* (Diário Espiritual)
STW	*Small Thecnological Works and Letters* (Pequenos Trabalhos Teológicos e Cartas) (Swedenborg Society, 1975)
TCR	*True Christian Religion* (A Verdadeira Religião Cristã)

CRONOLOGIA DOS TRABALHOS DE SWEDENBORG

[não incluindo diversos poemas, memoriais e cartas]

Data da obra	Publicado por Swedenborg	Publicado postumamente
1709	*Selected Sentences* [Sentenças Selecionadas] (tese apresentada no fim de seus estudos em Uppsala)	
1716	*Daedalus hyperboreus* (ensaios matemáticos e físicos)	
1718	*On Finding Longitude* [Procurando a Longitude]	
1719		*On Tremulation* [Sobre Tremores]
1721	*Principles of Natural Things* [Princípios das Coisas Naturais]	
1734	*Philosophical and Mineralogical Works* [Trabalhos Filosóficos e Mineralógicos] (i) *The Principia* (ii) *Iron* [Ferro] (iii) *Copper* [Cobre] *The Infinite, the Final Cause of Creation* [O Infinito, a Causa Final da Criação]	
1739		*Journeys* [Jornadas 1710-1739]
1740-42	*The Economy of the Kingdom of The Soul* [A Economia do Reino da Alma]	

		The Brain [O Cérebro]
		Rational Psychology [Psicologia Racional]
		Ontology Generation [Geração Ontológica]
1744	*The Kingdom of the Soul* [O Reino da Alma]	*Hieroglyphic Key* [Chave Hieroglífica]
1745	*The Worship and Love of God* [A Devoção e o Amor de Deus]	
1746-7		*The Word Explained* [A Palavra Explicada]
		Index Biblicus [Índice Bíblico]
1748		*The Spiritual Diary* [Diário Espiritual (1748-67)]
1749-56	Arcana Caelestia	*Miracles* [Milagres]
1757		*The Apocalypse Explained* [O Apocalipse Explicado] (1757-1759)
1758	*Earths in the Universe* [Terras no Universo]	
	Heaven and Hell [Céu e Inferno]	
	The Last Judgment [O Último Julgamento]	
	The New Jerusalem and its Heavenly Doctrine [Nova Jerusalém e sua Doutrina Celestial]	
	The White Horse [O Cavalo Branco]	
1759		*Athanasian Creed* [Credo Atanasiano]
1760		*The Lord* [O Senhor]
1761		*Prophets and Psalms* [Profetas e Salmos]
		The Sacred Scripture or Word of the Lord, from experience [A Sagrada Escritura ou Palavra do Senhor, por experiência]
1762		*Precepts of the Decalogue* [Preceitos do Decálogo]
		The Last Judgment [O Último Julgamento]

		The Divine Love [O Amor Divino]
1763	*Doctrine of the New Jerusalem concerning the Lord* [Doutrina da Nova Jerusalém a respeito do Senhor]	*The Divine Wisdom* [A Sabedoria Divina]
	Doctrine of the New Jerusalem concerning the Sacred Scripture [Doutrina da Nova Jerusalém a Respeito da Escritura Sagrada]	
	Doctrine of Life for the New Jerusalem [Doutrina de Vida para a Nova Jerusalém]	
	Doctrine of the New Jerusalem concerning Faith [Doutrina da Nova Jerusalém a respeito da Fé]	
	Continuation of the Last Judgment [Continuação do Último Julgamento]	
	Divine Love and Wisdom [Amor e Sabedoria Divinos]	
1764	*Divine Providence* [Divina Providência]	
1766	*The Apocalypse Revealed* [O Apocalipse Revelado]	*Conversations with Angels* [Conversa com os Anjos]
		Charity [Caridade]
		Five Memorable Relations [Cinco Relações Memoráveis]
		Marriage [Casamento]
1768	*Conjugial Love* [Amor *Conjugial*]	
1769	*Brief Exposition* [Breve Exposição]	*Canons of the New Church* [Cânones da Nova Igreja]
	Intercourse of the Soul and Body [Relações da Alma e do Corpo]	*Scriptures Confirmations* [Confirmações das Escrituras]
		Index to Formula Concordiae
		Ecclesiastical History of the New Church [História Eclesiástica da Nova Igreja]
		Drafts of The True [Desenhos da Verdade]
		Christian Religion [Religião

1771	*The True Christian Religion* [A Verdadeira Religião Cristã]	Cristã] *Nine Questions* [Nove Questões] *Reply to Ernesti* [Resposta a Ernesti] *Coronis Consummation of the Age and Invitation to the New Church* [Consumação das Idades e Convite para a Nova Igreja] *Fragment on Miracles* [Fragmento de Milagres]

(Por cortesia da Swedenborg Society, 20 – Bloomsbury Way, London WC1A 2TH)

BIBLIOGRAFIA SELECIONADA

[Livros sobre Swedenborg e seus ensinamentos]

ACTON, Alfred. *Letters & Memorials of Emanuel Swedenborg.* SSA: Bryn Athyn, 1955.
VAN DUSEN, Wilson. *A Guide to the Enjoyment of Swedenborg.* New York: Swedenborg Foundation, 1984.
————. *Presence of Other Worlds.* New York: Harper & Row, 1974.
EMERSON, E.W. *Representative Man.*
HENDERSON, Bruce. *Window to Eternity.* New York: Swedenborg Foundation, 1987.
HITE, Lewis F. *Swedenborg's Historical Position.* Mass.: New Church Union, 1928.
JAMES, Henry. *The Secret of Swedenborg* (1869)
JOHNSSON, Inge. *Emanuel Swedenborg.* New York: Twayne Publishing
KELLER, Helen. *My Religion.* New York: Swedenborg Foundation.
KINGSLAKE, Brian. *Swedenborg Explores the Spiritual Dimension.* London: Seminar Books, 1981.
SYNNESTVEDT, Sig. *The Essential Swedenborg.* New York: Twayne Publishers, 1970.
SIGSTEDT, Cyriel O. *The Swedenborg Epic.* New York: Bookman Associates.
TAFEL, Rudolph L. *Documents Concerning Swedenborg.* London: Swedenborg Society, 1875.
TOKSVIG, Signe. *Emanuel Swedenborg, Scientist & Mystic.* London: Faber & Faber Ltd.
TROBRIDGE, George. *Swedenborg Life & Teaching.* New York: Swedenborg Foundation.
WARREN, Samuel M. *Theological Writings of Swedenborg.* London: Swedenborg Society.
WHITE, William. *Emanuel Swedenborg* (1867, 1868).
WILKINSON, James J.G. *Emanuel Swedenborg.* James Spiers, 1886.
VERY, Frank W. *Ana Epitome of Swedenborg's Science.* Boston: Four Seas Company, 1927.

Este livro foi composto em Times New Roman, corpo 11/12.
Papel Offset 75g – International Paper
Impressão e Acabamento
Gráfica Palas Athena – Rua Serra de Paracaina, 240 – Cambuci – São Paulo/SP
CEP: 01522-020 – Tel.: (11) 3209-6288 – e-mail: editora@palasathena.org